D0655912

VAN LIEVERLEDE

MENSJE VAN KEULEN

Van Lieverlede

Uitgave van Paperview NV
Productie: Paperview NV

ISBN 9078432233
EAN 9789078432234
Wettelijk Depot D/2006/54370/23

www.paperviewgroup.com

I

De stoep was breed aan het eind van de straat. Vroeger waren er voortuintjes geweest, maar het hekwerk was wrak en het groen verwaarloosd. Daarom waren ze in een later stadium gesloopt en geplaveid. Deze poging de buurt een netter aanzien te geven had niets geholpen, integendeel, de brede stoep was een gezocht plekje geworden voor menige bewoner die het voor zijn eigen deur te smal vond. Honden werden er uitgelaten, jongens sleutelden er aan hun brommers, soms stond er een auto midden op die half uit elkaar lag en altijd lag er vuil, afkomstig uit omgekieperde vuilnisemmers, gescheurde zakken of zomaar gedumpt. De slager op de hoek lapte iedere maandagochtend de ramen die uitkeken naar die straat en mokkend schrobde hij de bepiste pui. Protesteren had geen zin; het bordje GELIEVE GEEN RIJWIELEN TE PLAATSEN had hij moeten verwijderen omdat het alleen maar meer gekletter tegen de ruit had veroorzaakt. Hij dankte God dat de ingang van de winkel om de hoek lag en dat het erboven geschilderde nummer viel onder de winkelstraat die hij fatsoenlijker achtte omdat er een tram reed.

Hanna liep niet over de stoep wanneer er kinderen speelden. Ze wist dat meer mensen werden nageroepen maar wilde liever niet gezien worden. Bovendien vermeed ze zo dat ze tegen haar aanbotsten of een bal voor haar benen schoten. Ze liep aan de overkant langs de geparkeerde auto's en passeerde met een boog een jongen en een meisje. Het meisje speelde gillend voor slachtoffer terwijl de jongen haar tegen het portier van een auto drukte. 'Wat had je nou hè, wat had je nou,' zei de jongen vlak voor haar gezicht. Ze winden elkaar op, dacht Hanna. Zij heeft niet eens een jas aan. Het lijkt zacht weer, de mensen vergissen zich omdat het niet stormt en regent, omdat het een stilstaande kou is.

De etalageruit van de slager was aan de randen met kunstsneeuw bespoten en versierd door linten waaraan kerstballen hingen. En in de vitrine van de toonbank zag het vlees roder dan ooit door de dennentakjes en groene en zilveren slingertjes.

Het schamele licht dat door het ruitje van de voordeur viel, reikte tot de kapstok. Het nachtlampje dat vroeger dag en nacht brandde had het een jaar geleden opgegeven en hoewel Hanna en haar moeder elkaar de eerste maanden zeiden dat er misschien een nieuw peertje in gedraaid moest worden, was er niets gedaan om het euvel te verhelpen. Ze waren eraan gewend geraakt, hielpen zich in het donker in en uit hun jas, vonden op de tast de haken van de kapstok, de klink van de wc. En wanneer er iets uit de gangkast moest worden gehaald of de gang gezogen, dan ging het grote licht aan. Ook de keuken was donker. 's Zomers wilde de zon nog wel eens een uurtje door de vitrage dringen maar de rest van het jaar lag hij, evenals het uitbouwtje erachter, de hele dag in de schaduw. Tegen binnendringend vocht door de buitenmuur, lekkages van de bovenburen en de damp van kokend voedsel die niet via de afvoer verdween omdat deze met een stuk hardboard tegen vallend roet was dichtgespijkerd, viel niet op te tornen. Handdoek, theedoek en vitrage voelden klam aan, de verf zag dof en was op talrijke plaatsen gebladderd, het plafond zat vol kringen en het raam was vrijwel voortdurend beslagen. Als er iets stond te koken vormden er zich druppels op die omlaaggleden en in de tegen de tocht opgerolde krant belandden.

Behalve dat Hanna's kamer een uitgang had op de keuken, waren er openslaande deuren naar het plaatsje, een deur naar de gang, en schuifdeuren die haar van de voorkamer scheidden. Er hingen een bloemen- en plantenkalender, een worteldoek waar een broche op was gespeld en een ouderwets schilderij van een boerderij aan de Vliet. Haar vader had het op de markt gekocht en schitterend gevonden, haar moeder had het vijf gulden rotzooi genoemd. Het was na zijn dood evenwel niet verwijderd en hing op dezelfde plaats. Eronder stonden een stoel en een rotankrukje, meer een mand met een losse zitting, dat een bergplaats was voor wasgoed. Het overige meubilair bestond uit een dubbelbed en een commode, die Coby, haar zuster, rood had gelakt omdat de babykleur haar verveelde.

Nauwelijks had Hanna het vlees op de aanrecht gelegd of haar moeder kwam sloffend de gang door.

'Maak je 't niet te zout? Jij kan altijd nog op je bord extra nemen,' zei mevrouw Beijer. Zuchtend ging ze op een stoel aan de keukentafel zitten. 'Het is hier koud.' Ze trok de mouwen van haar vest over die van het nachthemd tot ze gedeeltelijk haar handen bedekten.

'Waarom ben je nog niet aangekleed,' vroeg Hanna, 'als je weer op kan lopen?'

'Maar ik ben er nog maar net uit,' verdedigde haar moeder zich. 'Ik heb me goed beroerd gevoeld, ik ben nog lang niet in orde. Straks moet ik er misschien weer in, ik kan me niet aan en uit blijven kleden.'

'Als je ziek bent moet de dokter komen.'

''t Gaat wel weer over.'

'Dan moet je niet zeuren, hoe weet ik nou of 't echt of niet echt is?' Hanna keek in het oude gezicht, de kleurloze wimpers en wenkbrauwen, de roze huid onder haar ogen, de ingevallen wangen, de schedel die bij de kruin door het dunne haar heen zichtbaar was. 'Volgens mij ben je hartstikke taai.'

'Het is niet waar, ik ben nooit helemaal gezond geweest.'

'Mensen die altijd maar kwakkelen gaan het laatst dood. Ik ga eerder dan jij, ik ben nooit ziek. Wedden?'

'Praat niet zo,' riep mevrouw Beijer.

'Aan je stem te horen ben je aardig opgeknapt. Ik versta je heus wel.'

'Als je zo praat roep je onheil over jezelf af.' Ze hoestte.

'Je kuchie is nog niet over.' Over? dacht Hanna. Nooit. Ze heeft het al jaren, zelfs in haar slaap hoest ze nog. Toen de bovenburen een hond hadden die nogal luid en vaak aansloeg, was ze gaan vragen of het niet wat minder kon. We horen uw hond anders ook blaffen, werd er gezegd. Ze had er niet om kunnen lachen.

'Misschien moet je naar een kuuroord; lekker op een bed in 't zonnetje liggen.'

'Ik ga niet naar het buitenland. Je kan het nou wel op 't oliestel zetten.'

'Als jij nou vast gaat schillen.' Hanna boog zich naar de mand met aardappelen.

'In ieder geval gaat 't niet over als ik me steeds moet verkleden.' Ze nam de mand aan en rolde, op zoek naar het mesje, de bovenste aardappelen opzij. 'Het is bovendien niet waar wat je net zei,' vervolgde ze. 'Vroeger was je zo vaak ziek, ik ben me maar niet dikwijls 's nachts naar je wezen kijken. En altijd de feestdagen, ja haal jij je schouders maar op, ik heb heel wat kaarsen opgestoken en...' ze begon te hoesten, hield de hand met het mesje voor haar mond, liet hem weer in de mand zakken en zuchtte diep. 'Geef me wat te drinken kind en 'n aspirientje.'

Hanna tilde de sago-pot van de plank boven het fornuis, haalde er een buisje uit en legde het op tafel. 'Bijten,' zei ze terwijl ze een kopje water vulde.

'Ik heb ze niet in,' zei mevrouw Beijer hulpeloos.

'Dan druk je 't maar 'n beetje fijn.' Ze reikte het kopje aan. 'Hier, met water.'

Hanna wachtte, haar blik gefixeerd op het keteltje, tot het water kookte. Een lange avond, dacht ze. De televisie was stuk, het beeld bleef aan één stuk hollen als hij vijf minuten aanstond en bovendien stond hij vóór en wou moeder slapen, zoveel mogelijk. 'Slaap is het beste geneesmiddel.'

Het dekseltje begon te rammelen. Ze draaide het gas uit en goot het keteltje, het aanvattend met een pannenlap, leeg in het teiltje in de gootsteen. Onder in het keukenkastje stond de flacon afwasmiddel tezamen met een plastic bak die verminkt was geraakt omdat moeder, toen ze weer eens een voetbad nam daarbij in slaap was gevallen en hem ongemerkt te dicht bij de kachel had geschoven.

Op emmers en borstels na was er in de kastjes niets houdbaar. Alles bedierf er, tot blikken toe, die roestten en pakken waarvan het karton bij aanraken openscheurde nadat de inhoud al beschimmeld of geklonterd was. Een tehuis voor pissebedden en zilvervisjes. Als ze een deurtje opendeed, zag ze ze wegrennen. Wat viel er voor ze te halen? Hanna draaide koud water bij. Boven werd ook afgewassen, ze hoorde water weglopen en mevrouw De Rooy met lange uithalen zingen. Toen Coby nog thuis woonde, werd er beneden ook wel gezongen. Coby hield van muziek, kocht een radio en een pick-up. Ze was nog geen week de deur uit toen een busje voor kwam rijden en twee kerels op haar aanwijzingen al haar spullen wegsjouwden. De muziek, de kaptafel, een doos vol papieren en haar prachtige kleren. Daar maakte ze haar geld aan op. 'Wat denk je dat het kost?' Die vraag stelde ze graag want ze was er niet alleen gelukkig mee dat ze iets moois droeg maar was vooral voldaan wanneer de werkelijke prijs veel lager lag dan de door de ander geschatte waarde.

Hanna gooide het water weg, veegde het teiltje af en hing het aan een haakje onder de pannenplank. Vervolgens liep ze gewoontegetrouw de gang in en de voorkamer binnen. Ondanks een zacht gesnurk nam ze niet de moeite geen gerucht te maken. Ze draaide de kachel laag, schoof de gordijnen toe en zette de pantoffels naast elkaar onder het bed. 'Moeder?'

'Ja,' antwoordde mevrouw Beijer zonder haar ogen open te doen.

'Je sliep alweer hè?'

'O.' Ze smakte met haar mond en draaide zich op haar zij.

'Je hebt je vest nog aan.'

Toen geen reactie volgde knipte Hanna het licht uit en trok de deur hardhandig achter zich dicht. Er klonk geen gemopper, zou ze dan echt weer in slaap zijn gevallen? Ze wipte haar jas van de kapstok. In de achterkamer werd niet gestookt en het kostte minstens een uur voor het petroleumkacheltje het een beetje had veraangenaamd.

Van kinds af aan had Hanna via de tuindeuren naar de ramen aan de overzijde gekeken als naar een poppenkast. Schuurtjes en schuttingen belemmerden het zicht op de parterres en van de bovenverdiepingen was niet meer dan een meter plafond te zien. Links één hoog was verhuisd, er hingen nu twee keer in de week dekens over het kozijn. Links drie had dichte vitrage en een bloempot tegen de zijkant van het balkon. Rechts drie en links twee hadden de televisie achter. Links twee was het langste wakker. In rechts sliep iemand op de zolder. Rechts één deed vroeg de gordijnen dicht, soms slordig, dan was er een tuitje licht aan de bovenkant.

Het was te koud bij de deuren om te blijven staan en Hanna sloot de gordijnen en stak het kacheltje aan.

Het grote bed waar haar ouders in geslapen hadden, was blijven staan. Mevrouw Beijer weigerde erin te slapen na de dood van haar man. Omdat er fut noch geld was om het monsterlijke bed te vervangen, moesten haar dochters naar de achterkamer verhuizen en ging zij zelf vóór. Over het uitbouwtje als alternatief, werd nooit gesproken. Dat was het kamertje van 'de kleine jongen' geweest. Hanna had hem nooit gekend en Coby herinnerde hem zich als het oudere broertje dat haar altijd omvergooide en dat dood was gegaan omdat hij van zijn eigen lippen had gegeten. Volgens mevrouw Beijer zat de koorts in zijn lippen en was het allemaal gekomen door dat hok achter, waar iedereen wel in dood moest gaan.

Met alleen het schemerlampje aan en het flauwe licht uit het kacheltje leek het heel behaaglijk. Ze controleerde de temperatuur door in de buurt van het lampje te zien of haar adem stolde en dook dan weer in haar jas, haar voeten in de richting van het kacheltje gestoken, haar handen in de mouwen. Flarden van kerstliederen drongen door het plafond. Haar schenen begonnen te gloeien, de rest van haar lichaam bleef koud. Ze schoof van het bed naar de schoorsteen, ademde een paar maal met open mond en besloot te gaan slapen.

De matras leek met ijs gevuld. Ze trok haar benen op en probeerde de warmte van haar handen in haar voeten te drukken.

II

Buren en familieleden hadden verwacht dat mevrouw Beijer na de dood van haar man helemaal op zou bloeien omdat ze, verlost van zo'n schurk, opgelucht zou moeten zijn. Had hij zich niet in de drank verloren? Trok hij in het café niet de vuilste meiden uit de buurt op zijn schoot? Hij gedroeg zich toch alsof ie geen vrouw en kinderen had? Was het dan geen bruut? Maar de weduwe plengde tranen en ging zienderogen achteruit. Ja, de mensen hadden zich vergist en hun vergissing inziende kregen ze medelijden dat allengs plaats maakte voor onbegrip en toen liet niemand meer iets van zich horen. Een enkele maal lag er een rouwbrief op het matje en wist mevrouw Beijer dat haar onherroepelijk en voorgoed iemand was ontnomen, zoals alleen de dood dat kan.

Coby vertrok. Gek als ze was op glitter en show, had ze haar balletlessen verruild voor een cursus acrobatiek om ten slotte een baan als danseres in de revue te krijgen. Wanneer ze 's nachts thuiskwam piepte het bezorgde hoofd van haar moeder om de deur om te informeren hoe het gegaan was, te zeggen dat ze niet moest drinken en haar te herinneren aan de dorst van haar vader.

Coby was een lenig meisje, Coby vertrok. Naar een eigen kamer, zei ze, maar in werkelijkheid om bij een toneelmeester in te trekken.

De oude mevrouw Beijer, ze was zesenvijftig maar gedroeg zich alsof ze de overgangsjaren twintig jaar geleden gepasseerd was, klampte zich vast aan het haar laatst overgebleven dierbare. In het jaar dat Hanna nog leerplichtig was, vergezelde ze haar zo veel ze kon tot halverwege de route naar school en op zeldzame dagen dat ze zich gezond voelde, dagen waarop ze zweette noch rilde, liep ze zelfs helemaal mee. Een enkele keer stond ze aan de poort te wachten, beseffend dat de jongens een eindje verderop, rukkerig het gas opvoerend van hun brommers, dat deden op grond van slechte gedachten en handelingen waar haar kind tegen beschermd moest worden. Dat ze daar niet bang voor hoefde te zijn, drong niet tot haar door. Hanna was voor haar leeftijd een te lang en slungelig meisje, kleren zaten onmodieus en overal te wijd. Maar haar moeder zag dit niet. Het was een degelijk kind, een aantrekkelijk meisje waar ze voorzichtig op moest zijn. Ze wenste dat het jaar voorbij was, dat het nog eerder mocht zijn dat haar dochter thuis kon blijven. En Hanna, die zich moeilijk bij haar klasgenoten aanpaste en vaak een mikpunt van spot was, wilde niets liever. Toen het hoofd van de school, een zure mère met dubbele achternaam, niet reageerde op dc mededeling dat Hanna Beijer met ingang van haar aanstaande verjaardag de school verlaten zou, waren Hanna en haar moeder het er zonder veel woorden over eens dat die datum best wel vervroegd kon worden.

Na een halfjaar nam Hanna een baantje. Gedurende twee uur 's morgens en twee uur 's avonds moest ze met een ploegje vrouwen een kantoorgebouw schoonhouden. Het zorgelijk en hulpbehoevend geklaag van haar moeder noopte haar echter na enkele weken ontslag te nemen. Het speet haar want de veelal getrouwde vrouwen, liever zittend achter een bekertje koffie en sigaret dan lopend achter een bezem of elektrische boender, hadden haar ondanks haar zwijgzaamheid niet onaardig bejegend. Maar ze legde zich erbij neer en sleet de dagen thuis met huishoudelijk werk en het gezelschap houden van haar moeder. Bijna de gehele dag brachten de vrouwen in de voorkamer door. Mevrouw Beijer keek vanuit haar bed of, wanneer ze zich fit voelde, vanaf haar stoel, naar buiten. Ze maakte eens een opmerking, zeurde en mopperde wat en zakte regelmatig weg in een dutje waaruit ze dan even later, vaak gekweld door een hoestbui, ontwaakte. En Hanna zat aan het andere raam, volgde eveneens het gebeuren op straat en las tussendoor de krant, de reclamefolders en de oude tijdschriften die Coby haar gaf. Veel van wat ze las begreep ze slecht, maar ze nam moeite door te lezen al schoven de regels zonder enige indruk op haar te maken aan haar voorbij. Met gretigheid las ze de personeelsadvertenties. Ze zag zich achter toonbanken respectievelijk kousen en ondergoed, schoonheidsmiddelen, vlees, souvenirs, gebak en groente staan verkopen, bedden opmaken in een hotel met de radio aan en lopen door de gangen en zalen van een ziekenhuis. Of ze babbelde, op weg naar een school, tegen de kinderen van een doktersvrouw of een andere gewichtige vrouw die om een of andere reden haar de kinderen toevertrouwde; een vrouw met een bleek, chagrijnig gezicht, onberispelijke kleren, dunne tere handen en een kille stem die bevelen gaf en gekunsteld lachte. En dan keek ze op en zag de vertrouwde kamer, de straat die ze al even lang kende. En haar moeder.

Vier jaren waren zo, de dagen sleurs hun oude gang herhalend, voorbijgegaan. Hanna's ergernis groeide, naarmate de hoop afnam dat ooit alles anders zou worden.

III

Het was nog donker om acht uur. Een nachtwaker fietste naar huis om een gat in zijn eerste kerstdag te slapen en een kunstenaar, of een student, deed hetzelfde omdat ie er maling aan had wat voor een dag het was. Een kat rende, zonder zijn kopje links of rechts te draaien, de straat over. Een taxi reed met ongewoon lage snelheid door de ochtendlijke duisternis, die voor de ogen vermoeiender is dan de nacht omdat het daglicht blauwig mengt en de wereld wazig maakt. De chauffeur stopte een moment toen hij twee vrouwen ontwaarde die dicht langs de huizen liepen, maar ze reageerden met geen enkel gebaar.

Hoewel Hanna langzaam liep, lag mevrouw Beijer steeds een fractie achter.

'Koud?' vroeg Hanna toen ze een kreunend geluid hoorde. 'Want dan kan je beter proberen wat harder te lopen.'

'Nee nee. Als we maar niet te laat komen.'

'De klokken zijn niet eens begonnen.'

'Geen sneeuw, geen hagel...'

'Heb je 't wél koud?' Het mens had een blouse, een vest, een gebreide stola, haar zwarte kamgaren mantelpak en een dikke jas aan.

'Vroeger was het dikwijls witte kerst. Kijk, er zitten maar twee mensen in de bus.'

Zwijgend liepen ze verder, mevrouw Beijer dik van de kleren en Hanna in haar bruine winterjas met neergelaten capuchon waarover een grijze das hing met rode pompoentjes. Ze waren nog geen honderd meter van de kerk verwijderd, toen de klokken begonnen te beieren. 'Die gaan nog vijf minuten,' zei Hanna, maar haar moeder raakte niet in paniek, keek zelfs terloops in de etalage van een ouderwetse, al jaren gevestigde firma en zei: 'Hoeden en petten. Dat 't nog bestaat, z'n vrouw is in de hongerwinter gestorven. Hier vlakbij hebben ze een jongen van z'n fiets geschoten omdat ie niet stopte. Niemand mocht bij 'm komen, zelfs de kapelaan niet, anders werd je ook doodgeschoten. De hele dag hebben ze 'm langs de stoep laten liggen, de moffen, z'n moeder is er gek van geworden, ze trok de haren uit haar hoofd, ik heb 't zelf gezien.' Hoofdschuddend volgde ze Hanna over het kerkpleintje dat beschut lag tussen de pastorie en het klooster. In plaats van de volgwagens die hier door de week regelmatig te zien waren, stonden er nu gewone personenwagens geparkeerd. Hoewel, zo gewoon waren ze niet, er zat geen spatje roest aan. Ze behoorden dan ook niet toe aan de mensen die het pleintje overstaken en via een steeg tussen de kerk en het klooster naar de kapel liepen die aan het klooster grensde. Het waren geen armen voor wie bezit iets ondenkbaars was, maar ze hadden de armoe gekend van vroeger, van ouders die nog geen half verteerd kooltje, nog geen schil weg konden gooien. Ze leefden op een minimum dat comfortabel was, vergeleken bij die tijd en toch, toch moesten de centen worden omgekeerd, werd er gewikt en gewogen of ze besteed zouden worden aan een klein, nodeloos extraatje of dat ze apart moesten gelegd om later een meer kostbare wens in vervulling te doen gaan. Op Hanna en enkele kinderen die hun grootouders vergezelden na, bestond dit vroege kerkvolk uit oudere mensen. En dan was er vanzelfsprekend Jos, een zwakbegaafde jongen, die er als achttien uitzag terwijl hij een jaar of veertig moest zijn; er liepen onbestemde rimpeltjes in zijn gezicht die het onwerkelijk maar niet ouder maakten. Zijn bejaarde ouders hadden hun leven lang een kind aan hem gehad en de met de jaren toegenomen kindsheid van de vader was een tweede, grote zorg voor het oude moedertje geworden. Alles moest ze alleen beredderen, ze kon ze geen boodschap meer laten doen, de vader liet ze vroeger met een briefje gaan maar tegenwoordig vergat hij waar hij naar op weg was en dan ging hij ergens zitten en moest ze hem gaan zoeken omdat hij geen benul van tijd had. Ze snapte niets van de pret die vader en zoon konden hebben, soms kraaiden ze het uit, en het ergste, het grote vreselijke waar ze iedere dag aan denken moest en waar ze veelvuldig voor naar de kerk ging, was haar angst eerder dood te gaan dan de twee zielsgelukkige schepsels. Ze nam ze altijd mee opdat God zou zien om wie ze bad en haar nog vele jaren zou geven.

De mensen kenden elkaar, ze kwamen uit dezelfde buurt en hadden de kapelaan gemeen. Moeder wordt nauwelijks begroet, dacht Hanna. Herkennen ze haar niet? Of vinden ze dat iemand die zelden komt, er niet bijhoort? Ze is niet minder katholiek, ze houdt kerk in haar bed.

In de gang die toegang gaf tot de kapel, liet ze haar moeders arm los. Geen jas, sjaal of hoed werd aan de lange rij haken gehangen. Die werden slechts gebruikt door het publiek van kindertoneelvoorstellingen. Bij zulke gelegenheden brandde de kachel en duurde de middag lang door de pauzes waarin met kleine winst drank en snoep werden verkocht. Behalve een rij bidstoeltjes vooraan was er ook niets dat aan een kapel deed denken. Geen glas-in-lood maar ramen waar gordijnen van zeildoek voor hingen, geen biechtstoelen maar een deur naar de gang en een deur naar een proviandruimte, en geen vast altaar maar een tafel die na de mis werd opgeslagen bij de kratten limonade. Het kruisbeeld en de wijwaterbak bleven hangen. De soeurs van het klooster onderhielden het lokaal en zorgden voor de smetteloze lakens over de tafels die daardoor de gedaanten van altaar en communiebank aannamen. Mères vertoonden zich er niet. Komaf en opvoeding, Frans en Latijn, hun afkeer van nederig werk en hun zachte handen, die hoorden in een eigen kapel waar het naar was en wierook rook, waar het licht ijl en pastel gekleurd als uit de hemel binnenviel, waar stoelen met zacht, rood fluweel waren bekleed en waar de kandelaren een geornamenteerd altaar, een nagebouwde zerk van de Heilige Lidwina waarop haar stenen beeltenis rustte, sierden.

Zodra het geschuif met de stoelen verstomde, betrad kapelaan Kok het podium. Hij droeg een indrukwekkend wit, goud gebiesd kazuifel en werd gevolgd door twee misdienaars in rode togen. Een soeur bespeelde achter in het lokaal een orgeltje en devoot zongen de mensen de liederen mee van de op de vouwen versleten, paarse stencils die ze op de zittingen hadden gevonden. Kapelaan Kok hield, staande voor het altaar, een preek. Zijn misdienaars zaten op de rand van het podium, bungelend staken hun benen uit de opgeschoven rokken. De ene jongen droeg een lange broek, de andere had de enkels bloot boven zijn sokken. De mensen waren doodstil en keken naar de kapelaan z'n ogen die over hen heen in een verte staarden als zagen ze de zon opgaan of de verlosser naderen. Soms liet hij zijn blik even dalen, een heer en zijn zielen. Voor Hanna had hij geen boodschap. Ik wil er niets van horen, dacht ze. Die idioten die ernaar luisteren, oud nieuws, hou op met die akelige stem.

De rechterkant van haar kaak deed pijn. Ze was vanaf het moment dat ze ontwaakte aan haar kiezen gaan zuigen en bedacht dat het daarvan moest komen. Zodra ze echter ophield, nam het zeurende gevoel toe en als ze er beschermend haar tong tegen duwde, begon ze vanzelf weer te zuigen. Ze keek naar de kapelaan z'n mond waarin de tong behaagziek leek te fladderen. Ze rook eau de cologne en hoorde haar moeder opgelucht zuchten.

'Wil je ook?' vroeg mevrouw Beijer.

Hanna hield haar hand opzij, voelde hoe de zakdoek erin gedrukt werd. Ze bracht 'm met de linkerhand naar haar neus, stak haar rechterhand opnieuw uit en fluisterde: 'Flesje.'

'Waarom?' vroeg mevrouw Beijer zacht. 'Het ruikt toch genoeg?'

Toen Hanna geen antwoord gaf en een ongeduldig gebaar maakte, knipte mevrouw Beijer haar tasje open. 'Hier, maar er zit volgens mij best genoeg op.' Ze stootte haar dochter aan toen ze zag dat die de zakdoek op haar schoot legde en druppeltjes in haar handpalm liet vallen. 'Waarom doe je dat?'

'Ssst.' Met een vingertop smeerde Hanna de eau de cologne over haar kiezen. Het gaf een branderig gevoel.

'Heb je pijn?'

Hanna gaf haar de zakdoek en het flesje terug zonder iets te zeggen.

'Hé...' probeerde haar moeder weer en toen een mevrouw zich omdraaide om te zien of iemand het tegen haar had, gaf ze het op en hield verder haar mond.

Zodra de kapelaan het zaaltje verlaten had, ontstond een rumoer van gekuch, geschuifel en gefluister. In de gang werden handen geschud en zoenen uitgedeeld. Mevrouw Beijer trok Hanna's hoofd omlaag en zoende het op beide wangen. 'Zalig Kerstmis kind.' 'Ja ja,' zei Hanna en raakte vluchtig met haar lippen haar moeders voorhoofd.

Vrolijk begaf de stoet zich naar het patronaatsgebouw dat zich tegenover de kerk bevond. Het was volop dag, een mager zonnetje lichtte de schamele huizen bleek uit. Er was nog geen gordijn verschoven, op die van een enkele kinderkamer na. Mevrouw Beijer liep aan één stuk te hoesten.

'Wat heeft je moeder?' vroeg een vrouw meewarig. 'Bronchitis?'

Hanna haalde haar schouders op. 'Ze hoest al jaren.' Ze leeft ermee als met eksterogen, dacht ze. Het kan haar niet schelen dat ze er anderen mee ergert, dat 't pijn doet aan m'n oren.

'Je moet je moeder niet zo meetrekken.'

'Ik trek der helemaal niet mee.' In de kerk heeft ze nergens last van gehad, dacht ze. En nu wil ze aandacht en krijg ik de schuld.

Ze keek toe hoe de vrouw haar moeder op de rug begon te kloppen. Het handtasje aan haar arm ging wild heen en weer. 'Gaat 't zo wat beter?' vroeg het mens toen het schorre geluid ophield. 'Alsof je longen eruit kwamen.'

Moeder keek op, opende wijd haar mond en besloot de hoestbui met een stervend kuchje en een diepe zucht. 'Dank u wel mevrouw,' zei ze bedeesd.

'Daar kan u toch niet mee blijven lopen, want dat klinkt niet, ik zal maar zeggen, als een verkoudheid of rokershoestje.'

De vrouw bleef naast moeder lopen. Ze negeerden haar.

Ik ga weg. Drie woorden die ze altijd en alleen maar dacht, voor zich uit zei, en dan weer opborg. Vroeger zag ze in gedachten het huis opdoemen dat ze vanuit de bus eens in Wassenaar gezien had: een villa met veel ramen en een blauw pannendak, omringd door hoge, oude bomen. En ze wandelde over de oprijlaan, de grasperken, het heldere mos. Naarmate ze ouder werd kon ze het beeld minder lang vasthouden, het verdween even snel als de luttele seconden dat ze het huis had opgemerkt. Tot ze het voorgoed niet meer kon aanroepen. Een paar maal was ze werkelijk een eindje omgegaan. Niet kalm, haar omgeving observerend zoals ze in haar dromen deed, maar gehaast, beseffend dat ze toch een cirkel zou maken omdat ze geen ander eindpunt wist te verzinnen. Hijgend van het harde lopen en het gesjouw met de boodschappentas die ze met een hand moest ondersteunen omdat een hengsel werd vastgehouden door een speld, kwam ze dan weer in haar eigen straat.

Ze ging het zaaltje binnen. Het rook er vies. De mensen zagen er stuk voor stuk lelijk uit, ze praatten plat, hadden scheve en domme gezichten, zaten slordig op hun stoelen. Waren ze haar te min? Keek ze op ze neer? Geschrokken liet ze haar hoofd zakken.

Mevrouw Beijer wenkte haar dochter naar de stoel naast zich. De bemoeizieke vrouw die haar zo-even naar boven had geholpen, had aan een korte tafel die dwars tegen de lange tafel was geschoven, plaatsgenomen. Ze knikte naar mevrouw Beijer en vervolgens naar de man tegenover haar, trok een spijtig gezicht dat beduidde: ik moet wel, hij is hier nou eenmaal gaan zitten, en bewoog bij wijze van groet even haar vingers.

De maatschappelijk werkster, juffrouw Vugt, vroeg om stilte. Ze was een tenger vrouwtje met kort, recht afgeknipt haar. Ze bewoonde een tot een knusse flat verbouwd gedeelte van de bovenste verdieping in het patronaat. Diverse malen was er ingebroken en telkens nam ze zich voor een hond te nemen, maar dat plan werd uitgesteld, bang als ze was dat het beest vergiftigd zou worden.

Na het bidden hield ze een toespraakje, wenste de mensen een prettige dag en ten slotte, met een verguld gezicht: ‘Smakelijk eten.’

Een geroezemoes brak los, er werd thee en koffie uit grote ketels geschonken, men pakte boterhammen van de schalen en suikerklontjes, roerde, tikte met het bestek. Zorgvuldig beet Hanna kleine hapjes met haar tanden af om ze met haar linkerkiezen te kauwen.

'Ik begrijp 't al,' zei mevrouw Beijer triomfantelijk. 'Jij hebt kiespijn. Vandaar die eau de cologne. Waarom zei je dat dan niet? Je laat me maar vragen en dat was allemaal niet nodig geweest als je 't me even gezegd had.'

'We zaten in de mis.'

'Nou? Had er dan even op gewezen of zoiets.' Ze ontblootte haar tanden en klopte er met haar wijsvinger tegen. 'Wat is daar nou raar aan, aan kiespijn? 't Zal heel wat gaan kosten... Saneringskaart, je bent al 'n paar jaar niet geweest, ieder gaatje moet je betalen. Ik zou alles maar laten trekken. Geen gezeur meer, een keer betalen en dan ben je er voor je hele leven vanaf.'

'Net als jij,' zei Hanna. Mevrouw Beijer knikte instemmend. 'Maar je kan 't niet meer inhouden zonder er wat onder te stoppen.'

Aan de andere kant van de tafel ontstond enig tumult. De vader van Jos had zich verslikt en werd door zijn zoon zo krachtig op de rug geslagen dat hij met zijn hoofd zijn bord raakte. De jongen wist van geen ophouden en nadat de juffrouw en zijn moeder hem weer op zijn stoel hadden gekregen, schoot hij in de lach. 'Diep ademhalen,' zei zijn moeder verontrust. Ze sloeg geen acht op haar vrolijk kind dat zijn tong uitstak en een lik over haar hand gaf.

Een lange, magere jongeman kwam binnen. Hij groette, schoof een stoel aan naast de juffrouw en verontschuldigde zich voor zijn late komst. Hanna hoorde hem 'lastig geval' zeggen. De juffrouw ging niet in op zijn excuses, was blij dat hij toch nog gekomen was en zag er nu eerst uit of ze zich op haar gemak voelde. Ze sprak hem aan met Theo, schonk hem een kop thee en hield hem een schaal boterhammen voor waar hij er, op haar aandringen, een van afnam. Met een smachtende blik keek ze naar hem, luisterde vol belangstelling en lachte innemend. Met een kennersblik nam hij de mensen aan tafel op, vroeg iets aan de juffrouw en keek toen bedachtzaam knikkend naar Hanna. Mevrouw Beijer kreeg haar boterham niet op en klaagde over haar maag. ‘Ik weet heus wel dat ’t maar een paar hapjes zijn maar Coby braadt ’n konijn en daar moet ik ’n gaatje voor over houden,’ mopperde ze. ‘De dag is nog niet voorbij nee maar als ik nou geen trek meer heb? En zo’n konijn is vet met alles wat er nog eens bijhoort. Eet jij ’t dan op.’ Hanna bedankte. ‘Je bent toch niet vies van je moeder?’

‘Ik eet jouw restjes niet op. Had je er maar niet nog een moeten nemen.’

‘Je bent ondankbaar.’

‘Ondankbaar? Jij verspilt je brood, moeder. Brood. Denk maar eens aan de oorlog.’

‘Precies. Als er in de oorlog een korst op straat lag, al was ie van de schillenboer, maar die waren er toen niet, al was ie van ’n mof, dan raapte je ’m op.’

‘Bah.’

‘Ze weet niet wat honger is,’ zei mevrouw Beijer tegen haar buurvrouw.

Niet weten? ’s Nachts knaagde haar maag. Moeder had het geld, gaf de boodschappenlijstjes op, controleerde het wisselgeld. Was iets in de reclame, dan hield ze het resterende geld in haar mantelzak en het duurde lang voor ze er een kleinigheid van kon kopen om onderweg of in bed op te eten. Zuinig werd er gekookt, wat overbleef werd onthouden en bewaard tot de volgende dag. Een boterham moest oneetbaar zijn voor hij aan de vogels werd gevoerd. Allemaal door de oorlog. Ze keek op haar moeders handen. De vingers waren lang en benig, de rechterhand lag gekromd als op de toetsen van een piano. Potte ze stiekem?

Het dankgebed was kort. Een jong meisje verzamelde de laatste sneetjes op een schaal en ging bij de deur staan om mensen over te halen voor onderweg wat mee te nemen.

‘Juffrouw Beijer?’ De jongeman hield haar staande. ‘Ja,’ zei hij, ‘ik werk hier nu 'n halfjaar en... ik ben Theo Oldenzaal, ik heb de jongerenclub voor mijn rekening, de jeugd dus, en nu vroeg ik me af... ik heb je daar nog nooit gezien, of je daar geen zin in zou hebben. We doen daar van alles,' vervolgde hij tegen haar moeder, die de jeugdleider verbaasd aanhoorde. 'Niet zoveel als met de kleintjes natuurlijk, maar voor de meisjes is er een naaiclub, die doe ik dus niet, ik heb de jongens voor mijn rekening. Maar wat ik bijvoorbeeld wel organiseer is het maandelijkse feestje met een bandje of wat muziek van de plaat. Er wordt wat versierd, 'n bar neergezet, gedanst, etcetera. Ik dacht dus,' richtte hij zich tot Hanna, 'als je zin hebt, 't is altijd erg gezellig, kom dan eens. We geven bijvoorbeeld 'n nieuwjaarsfeestje op drie januari.' Hij spreidde zijn vingers. 'Gewoon hier in de zaal. Die er dan natuurlijk zoals ik zei, anders uitziet,' lachte hij beminnelijk. De pleister op zijn kin trok glad en ontspande weer snel toen hij zijn gezicht in de plooi trok. Hij had zijn plicht gedaan, wenste moeder en dochter genoeglijke feestdagen en sprak de verwachting uit dat hij Hanna zou zien verschijnen. 'Het zal je aan alle kanten bevallen.' Hij draaide zich om en ging naar de juffrouw, die in stille bewondering op hem had staan wachten.

Buiten bood Hanna haar moeder een arm aan. Mevrouw Beijer omklemde hem stevig en liet niet los, zelfs niet toen de stoep te smal werd door tegemoetkomend volk voor de hoogmis, zodat Hanna half op straat moest lopen.

'Doe je het?' vroeg mevrouw Beijer. 'Ga je daar naar toe? Ik vind 't wel goed hoor, alleen... 's nachts gebeuren er de raarste dingen op straat. Je hoeft de krant maar te lezen.'

'Alsof jij die ooit leest.'

'Je leest me zelf al die verschrikkelijke dingen voor die gebeuren,' zei mevrouw Beijer verontwaardigd.

'Dan weet je dat de mensen bijna altijd in hun eigen huis worden vermoord.'

'Ik zei niets over moord.'

'Wat is er dan zo verschrikkelijk? Geld valt er bij mij niet te halen.

Dat doen ze bij ouwe vrouwtjes die alleen in huis zitten.'

'Ik bedoel dat er met donker mannen op straat zijn, vooral hier in de buurt, die in steegjes op je loeren en je achternalopen. Die willen iets van je, dat gebeurt zo vaak, daar lees je niets over in de krant. En waarom niet? Omdat ie er anders helemaal vol mee zou staan. Er zitten onder die mannen namelijk ook agenten en, nee lach niet, ministers zelfs. Dat is 'n ziekte die iedere man kan hebben, ik waarschuw alleen maar.'

Ongemerkt begon Hanna sneller te lopen, haar moeder voorttrekkend als een bromfietser een fietser. Onder haar voeten herhaalde zich het eentonige patroon van de klinkers met hier en daar een papiertje.

'Hanna Hanna,' riep mevrouw Beijer klaaglijk. Ze hijgde en kuchte.

Hanna stopte even en liep toen tergend langzaam verder. De pijn in haar mond gloeide op.

''t Hoeft niet zo langzaam,' zei haar moeder onderdanig.

IV

Dannie had het postuur dat men wel aantreft in cafés, met name die waar om sluitingstijd slechts de gordijnen gesloten worden. De benen waren niet al te dik, de heupen zelfs smal, maar zijn romp was kolossaal en wulpte rond de taille zodanig dat de band van zijn broek onder zijn buik hing. Wanneer hij stond gaf hij er zo nu en dan met beide handen twee korte rukjes aan.

Al was het op een kier, er moest iets openstaan. Van zijn hemd waren dat de bovenste knoopjes en wanneer er een maat boord bestond die hij zou kunnen sluiten, dan nog zou hij het open dragen. Niet omdat onder zijn korte nek het borsthaar begon maar omdat hij het er benauwd van kreeg. In zijn auto hield hij zomer en winter het raampje aan zijn kant open en als hij thuis was, kon hij zich slecht bij Coby's kouwelijkheid aanpassen en schoof een raam omhoog.

Jaren had hij de zeeën doorkruist en tientallen havensteden gezien. Orkanen, olie, bananen, moord en doodslag, een bed voor een stukje lingerie in Singapore of Puerto Rico. Wanneer hij zijn eigen stem hoorde verhalen, bewoog iets diep in zijn borst. Daarom had hij het er maar liever niet meer over.

Zesendertig jaar was hij, een boom van een kerel, een man die met zijn hart goed en kwaad scheidde, daardoor soms een moeilijk maar ook een beminnelijk mens. Hij wilde niemand lastig vallen en kon met veel mensen overweg al schoot zijn woordenschat, zo vond hij zelf, hem wel eens lastig te kort. Wie hij letterlijk ontliep, voor wie hij nota bene omreed, was de politie. Een uniform en een politiebureau gaven hem de rillingen als was hij bang gesnapt te worden voor de kleine vergrijpen waar hij deelgenoot aan was geweest of de hoeveelheid drank die hij dagelijks innam vanwege zijn rug die hem zo hevig pijn kon doen dat zijn benen gevoelloos werden. Toch was het pas een week of vier geleden toen op het bureau zijn versie van de gebeurtenissen van die middag werd uitgetikt. Hij deed of hij het vergeten was maar Coby mocht er graag met smaak en trots over vertellen, vooral over het gedeelte waar zij furore maakte.

Ze hadden samen in de voorkamer gezeten, Coby op de bank, de kleine spelend onder de tafel en Dannie aan het raam, uitkijkend over het plein. Op een gegeven moment begon hij te vloeken en maakte zich zo kwaad dat hij zich 'Zo'n stelletje hufters' uitroepend, omkeerde en zonder een jas aan te trekken naar buiten liep. Naar de patattent die voor aan het plein van 's morgens tot 's avonds twaalf nering deed. Er stond een afvoerpijpje op dat waardeloos was want de dampen verdwenen via de voorkant. Coby had wel de oude meneer en mevrouw Vink het plein zien kruisen maar had pas later begrepen dat die mensen gepest waren door een stel jongens. Ze hadden het echtpaar niet alleen hun bestelling onmogelijk gemaakt maar de oude man aan zijn neus getrokken en zijn vrouw de rok gehaakt.

Op dat moment was Dannie naar buiten gerend. Coby zag hem met gebalde vuisten voor de jongens staan. Ze schoof het raam verder omhoog en leunde naar buiten. 'Moet je mij eens flikken,' hoorde ze haar man zeggen. 'Hè? Nou durven jullie niet, klootzakken.' De jongens durfden wel, ze lachten hem honend uit en een van hen schopte hem tegen zijn knie. Dannie haalde uit en sloeg de jongen tegen de wand van het tentje zodat het ervan schudde. Er hingen nu meer mensen uit de ramen. Sommigen vuurden hem aan. 'Sla ze maar helemaal dood.' Anderen waren bang dat het slecht af zou lopen. 'Kom nou naar huis,' schreeuwde Coby. De kleine stond te dreinen en in paniek aan haar rok te trekken.

Meneer Vink kwam zo vlug hij kon uit de telefooncel gelopen en riep naar boven, met de handen aan zijn mond opdat de jongens het niet konden horen en ervandoor zouden gaan: 'Ik heb de politie gebeld.' Hij zag er een stuk veerkrachtiger uit nu hij daadwerkelijk iets gedaan had dat tot bestraffing van zijn aanranders zou kunnen leiden. 'Ze zijn al onderweg.'

Er ging een kreet van ontzetting door de toeschouwers op de stoep.

'Olie! Hij heeft olie gegooid!' Met een van pijn en schrik vertrokken gezicht strompelde Dannie het tentje uit, kijkend naar zijn broek die ter hoogte van zijn knieën stond te roken. Coby rende het huis uit, de voordeur openlatend. Voor ze het portiek uit was, reed een politiewagen voor.

'Pas jij op Loes,' riep ze naar een buurvrouw. 'De deur staat open,' en toen snelde ze, half huilend: 'Doet 't pijn? Doet 't pijn?' naar de overkant. Ze wilde de jongens aanvliegen maar werd er evenals Dannie van weerhouden door het publiek. Over en weer werden verwensingen geroepen en de baas van het tentje had het het hardst te verduren want voor de lafheid om, veilig van achter zijn buffet, een pan kokende olie te gooien, daarvoor had men geen goed woord over. Toen twee extra wagens kwamen aangereden om de jongens en de patatbaas op te pikken, voerden de agenten haar en Dannie naar de eerste wagen. Met zwaailicht werden ze naar de eerste hulp gereden en nadat Dannies onderbenen ontsmet en gezwachteld waren, vond de rit naar het bureau plaats. De agenten susten Coby die opnieuw begonnen was te huilen. Dannie zat er witjes bij, zijn lange benen moeizaam gebogen houdend.

In de wachtkamer kon ze zich slecht beheersen. Het zien van de jongens wakkerde haar woede aan.

'Kalm toch Coby,' zei meneer Vink, die met zijn vrouw al zijn verhaal gedaan had en nu op Dannie wachtte om hem te bedanken. 'Dat zijn ze niet waard.' Zijn vrouw vond het allemaal griezelig maar hij zat er als een schooljongen bij. Een agent bracht Coby een glas water. Ze dronk het leeg en kalmeerde. Toen Dannie naar buiten kwam, sprong ze van haar stoel en wat zich het volgende moment in het vertrek afspeelde was iets heel anders dan ze van plan was. Ze had hem om de nek willen vliegen maar bleef plotseling staan en hoorde de agent niet opmerken dat zij voor een getuigenis naar binnen moest. Ze trok een schoen van haar voet en rende op de patatbaas af die achter Dannie de verhoorkamer verliet.

'Vrouw slaat man met naaldhak', had er de volgende dag in de krant gestaan. De patattent was twee weken dicht en toen hij heropende, bleek er een nieuwe eigenaar te zijn die er tot nu toe overdag zijn vrouw in liet staan en 's avonds een onhandige jongen die de snacks zonder krokant korstje bakte.

V

Dannie stapte uit zonder de motor af te zetten. Hij was ervan overtuigd dat ze hem moesten hebben gezien want een visite aan zijn huis was voor zijn schoonmoeder en -zuster een van de weinige verzetjes die ze zich gunden.

Toen hij zijn voet op het trottoir zette, zwaaide de deur al open. Glunderend kwam mevrouw Beijer op hem af. Hij boog zich voorover en liet zich op zijn wang kussen.

'Zalig Kerstmis jongen.' Ze draaide zich om. 'Zit de deur goed dicht?'

'Ja moeder,' zei Hanna.

'Zou je 'm geen Kerstmis wensen?'

'Ik heb 'm al gedag gezegd.'

'Geen Kerstmis!'

Dannie opende de portieren aan de rechterzijde. 'U voorin moeder?'

'Is goed jongen,' zei ze en toen hij om de neus van de auto heen liep, keerde ze zich naar Hanna: 'Denk erom dat je het zegt.'

Dannie stapte in. 'Je kussentje valt naar buiten,' zei mevrouw Beijer. Hij greep het van de straat en stopte het achter zijn rug.

'Gaat 't slecht met je rug?'

''t Gaat best,' zei hij kort.

'En je benen? De muziek staat 'n beetje hard.'

Dannie zette de radio uit. 'Bijna over,' zei hij en begon wat voor zich heen te fluiten, meer langgerekte tonen dan een melodie.

Mevrouw Beijer draaide haar hoofd naar rechts. Ze keek altijd die kant op wanneer ze dit ritje maakte maar in plaats van te zeggen dat ze daar gewerkt had, bij Veldhuis, die ze Veldmuis noemde, riep ze: 'Hij is eruit. De jonge meneer zal toch niet overleden zijn? Pietje Veldmuis kan toch nog niet dood zijn? Ze hebben de hele winkel leeggehaald.'

'Die jonge meneer is net zo oud als jij moeder.'

'Nee hoor, hij was jonger.' Ze begon te rekenen. 'Ouwe Veldmuis was vierenzeventig toen ie ging en toen was hij dus veertig of eenenveertig. Dat is tien jaar geleden want je vader ging vier jaar later, dan is ie dus eenenvijftig, Pietje. De tijd gaat hard.'

In de woning van haar oudste dochter begon ze er opnieuw over.

'Maar als de winkel leeg is, is 't nog niet gezegd dat ie dood is,' zei Coby.

'Het was 'n zwakke jongen.'

'Hij kan wel failliet zijn. Misschien wordt het huis gerestaureerd, het is oud.'

'Pietje niet. Hij was dan wel niet sterk maar hij had ze hier zitten.' Ze tikte tegen haar hoofd. 'En hij was echt wat je noemt fatsoenlijk. Hij hielp z'n moeder in haar jas, bracht haar stok als ze wou wandelen en hij kon,' zei ze vertederd, 'hij kon, wanneer ze in haar stoel zat, zo achter haar staan met z'n handen naast haar hoofd en dan vroeg ie: Hoe voel je je vandaag mama? Zal ik iets lekkers voor je halen? En dan ging ie witte chocola voor haar halen of gebakken mosselen want daar hield ze van. Of soms wou ze alleen maar 'n deken en die legde hij dan om haar benen. Zo'n behulpzaam jongmens kom je zelden tegen. Als Veldmuis 't over 'm had, noemde ze 'm Peter. Ik heb me altijd afgevraagd waarom ie Pietje heette want zo moest ze 'm vroeger genoemd hebben. Of z'n vader, maar die heb ik niet gekend, haast niet tenminste. Toen ik er ging werken lag ie al boven in bed. Er was 'n verpleegster die voor 'm zorgde en iedereen moest van haar zachtjes lopen, zachtjes praten, zachtjes de deur dichtdoen. Ik heb 'm pas gezien toen ie dood was want toen moest ik de deur opendoen als ze naar 'm kwamen kijken. Nette mensen waren dat, met hoeden en paraplu's en keurig geklede jassen, die ik voor ze aan de kapstok hing.'

'Je hebt je er anders de pleuris gewerkt,' zei Coby. 'Je kwam er altijd doodmoe vandaan en zei dat je versleten knieën kreeg van al die trappen boenen.'

'Je hoeft niet te vloeken. Ze hebben me betaald voor mijn werk en jullie kregen wel eens wat uit de winkel.'

'Onderbroeken uit de uitverkoop en vader dassen.'

'Ze bedoelde het goed, ze had het niet hoeven geven. Ze liet het zelfs inpakken door de verkoopster. Er was er een die 't op Pietje had voorzien. Die dacht natuurlijk: als ik de baas heb hoef ik niet meer te werken. Ze zaten goed in hun slappe was. Maar hij gaf geen sjoege, 't is eigenlijk jammer dat ie nooit getrouwd is want je had er 'n brave man aan gehad. Hij was bang voor vrouwen behalve wanneer ze oud waren.'

'Als je 't mij vraagt was 't 'n mietje,' zei Coby.

'Nee, hij was heel aardig.'

Coby lachte en negeerde Dannie die een lelijk gezicht trok. 'Ik bedoel dat ie homofiel was moeder.'

'Ik weet best wat je bedoelt,' zei mevrouw Beijer geprikkeld. 'Maar ik hou niet van vuile woorden. En het is niet waar.'

'Hij had toch zulke aardige vrienden? Dacht je nou heus…'

'Hou toch op,' zei Dannie.

'Dan is Dannie dat ook,' zei mevrouw Beijer, 'want die heeft ook vrienden. Ik heb er hier zelf 'n keer twee gezien die 'm kwamen halen.'

'Wat ben je vandaag bijdehand,' zei Hanna.

'Jij bent anders stil,' zei Coby.

'Ze heeft kiespijn,' zei mevrouw Beijer. 'Vanmorgen al in de kerk. Zat ze er eau de cologne op te doen en als ik vraag waarom ze dat doet, zegt ze niks.'

'Jij hebt altijd gezegd dat we in de kerk onze mond moesten houden.'

'Maar zoiets…' Mevrouw Beijer bracht vertwijfeld haar handen omhoog.

'Toen ze zelf zat te praten keken de mensen om.' Bij iedere slok wijn leek de pijn af te nemen en werd het lichter in haar hoofd. 'Ze heeft zich vanmorgen 'n halfuur op de rug laten kloppen. Dat mens heeft wonderen verricht, ze heeft al 'n paar uur niet gehoest.'

'Jullie spotten met me.'

'Ja, en nou is 't afgelopen,' zei Dannie. Hij knikte in de richting van zijn schoonmoeder die er als een hond die vergeefs naar zijn baas heeft gezocht, bij zat. 'Ze komt hier Kerstmis vieren en dit is toevallig mijn huis.'

'Ook het mijne,' zei Coby.

De enige die zich niets van de woordenwisseling aantrok, was het kind. Het had zich stilletjes onder de boom genesteld en gapte van het snoepgoed. Toen er van de onderste takken niets meer te plukken viel, begon het aan de lampjes te draaien.

'Loes, blijf af,' riep Coby en stond op. 'Welke heb je uitgedraaid?'

Het kind wees het dichtstbijzijnde aan.

'Kreng, er zitten er nog meer los.' Ze tastte de lampjes af en gaf het kind een korte pets toen het na de laatste correctie opnieuw haar handje uitstak. Huilend liep het naar haar vader die het op zijn schoot tilde en met de ene hand aan zijn borst drukte om met de andere zijn vrouw een tik tegen haar bil te geven, zeggend: 'En nou wil ik wel eens eten.'

Hanna liep Coby achterna. Ze bleef op de drempel van de keuken staan en sloeg de nijdige bewegingen van haar zuster gade. Coby zette een pan zo baldadig op het fornuis dat er vet op haar blouse spatte. Ze wreef een handdoek ruw over haar borst, smeet 'm in een hoek en pakte een zak frites die ze met haar tanden openscheurde. Ze trok de treef uit de pan, schudde het vet eraf en gooide de zak erin leeg. 'Altijd moet 't zo lopen,' zei ze.

'Moeder is vervelend.'

'Jij anders ook,' zei Coby bits. 'De hele middag doe je je bek niet open.'

'Ik had kiespijn.'

'Zeg dat dan. Je zegt nooit iets.'

Hanna voelde zich blozen en probeerde te ontspannen door tegen de deurpost aan te hangen. 'Ik kan niet goed praten.'

'En hoe komt dat? Hè? Ik heb ook haast geen school en ik kan best 'n aardig end lullen.'

'Dat weet ik wel.'

'Jij doet gewoon niks, helemaal niks. Om stapelgek van te worden. Je komt bij me om raad en luistert niet, huilend sta je in een telefooncel maar wat ik ook zeg, je doet helemaal niets, blijft gewoon op je reet zitten in dat rothuis.'

'Ik kan 't niet, ik durf niet.'

'Je wordt negentien.' Sissend verdwenen de frites in het vet dat borrelend en schuimend tot vlak onder de rand van de pan steeg. 'Dat is 't niet alleen,' vervolgde Coby. 'Je trekt je er ook niks van aan dat je er als 'n verzopen kat bij loopt.'

'Ik heb geen geld,' zei Hanna verslagen.

'Ik heb geen geld. Tut. 't Een houdt 't ander in, je kan toch werken. Bovendien, geen geld! Haren knippen kost niks maar zelfs dat durf je niet. Dat rare speldje opzij, net een debielenkapsel.'

Hanna boog haar hoofd en concentreerde zich op de crèmekleurige neuzen van haar schoenen. Ze bewoog haar tenen en duwde haar nagels hard in de muis van haar hand.

'Niet weer gaan huilen hoor.'

'O Coby Coby.'

'Houd je nou in, we praten er nog wel 'ns over. Probeer 'n middagje weg te komen, niet woensdags of vrijdags want dan werk ik.' Ze ratelde door. 'Dan kan je 's avonds oppassen. Moet je voor dat tientje maar eens naar de kapper, leg ik er nog wel wat bij. Ik wil 't ook wel knippen. Waarom kom je niet vaker oppassen? Hoe meer je uit dat huis komt hoe beter. Je kan hier slapen, dat weet je toch. Anders moeten we zo vroeg terugkomen en als Dannie je thuis heeft gebracht komt ie voor de ochtend niet boven water. Ik wil ook wel eens doorzakken. We kunnen ook de buurvrouw vragen of Loes daar kan slapen, ze hebben zelf 'n jongetje van die leeftijd, dan kan je eens 'n keertje mee. Ze zijn hartstikke bruin geworden.' Coby schudde aan de treef en liet 'm op de oren van de pan uitlekken. 'Je hoeft me heus niet zo te benijden. 't Is saai tegenwoordig. Vervelend. Dannie heeft soms zo'n pijn dat ie niet meer bij me slaapt. Als ik naar bed ga, staat hij op. Gaat ie platen zitten draaien met 'n koptelefoon maar ik hoor de muziek erdoorheen, en de plaat afslaan, z'n glas neerzetten, en van dat geroffel met z'n vingers op de leuning. Tot ie de deur uitgaat, dan val ik in slaap. Hij begint dingen te vergeten, allemaal door de drank natuurlijk. Daar werk ik voor bij ouwe wijven. Schoonmaken pfff kon ik maar schoonmaken. Of ze willen koffie met je drinken of ze werken op je zenuwen.' In een rij verschenen ze boven het fornuis: de een die de trap niet af wilde; de ander die dacht dat haar werkster schoteltjes stal; de gelovige Indische dame; een vrouw van moeders leeftijd die haar werkzaamheden volgde in een rolstoel, een geruis en dan stond het mens achter haar op de rem; de vrouw die het had over haar 'walletjes' waaraan ze al tien keer geopereerd was. 'Ik vind 't allemaal zo waardeloos, ik zou weer willen dansen.' Dromerig staarde Coby voor zich uit en toen schudde ze haar hoofd. ''t Kan niet en nooit meer,' zei ze. 'Help me maar met de tafel. Neem de sla en de borden vast mee.'

'Als Loesje ouder is…'

'Loop ik tegen de veertig. En dan nog dansen? In de revue of 'n nachtclub met m'n ouwe lijf? Ik zou m'n benen breken, ik ben al zoveel verleerd.'

''t Zal allemaal goed komen.'

'Wat?'

'Zeg dat 't allemaal goed komt Coby, zeg 't.'

'Wat heeft dat nou voor zin?'

'Zeg dan alleen maar ja.'

'Ja. Wat sta je me nou aan te kijken?'

VI

Vroeg in de ochtend werd Hanna met een stekende kaakpijn wakker. Ze betastte haar wang, stond op om 'm in het keukenspiegeltje te bekijken en zag dat hij inderdaad was opgezwollen tot een bolle babywang. Kriebelend gleed er een traan over. De pijn was niet meer te lokaliseren. Zowel in de boven- als onderkaak hamerde het er lustig op los. Ze hield een washandje onder de kraan, kneep het uit en het tegen haar wang houdend, kroop ze in bed. Natte sneeuw vlokte tegen het bovenlicht, uit de regenpijp plaste een karig straaltje in het putje tussen het raam en de keukendeur. Toen haar arm moe werd, draaide ze zich op haar zij. Ze veegde een natte haarlok achter haar oor, keerde het washandje en bleef, haar ogen dichtknijpend, roerloos liggen. Om acht uur hoorde ze haar moeder roepen.

Toen mevrouw Beijer geen antwoord kreeg, sloeg ze met een pantoffel op de vloer en riep luid en klaaglijk dat ze ziek was. Tien minuten later probeerde ze het opnieuw en ten slotte stond ze op om te zien of haar dochter nog sliep.

'Hanna? Slaap je?'

'Nee.'

'Waarom kom je er niet uit? Ik voel me niks lekker.' Ze deed een pas de kamer in. 'Heb ik je zonet wakker gemaakt? Ik heb 'n uur geleden al om je geroepen.'

'Nietwaar, ik lig al uren wakker.'

'Waarom kijk je me niet aan?'

'Je zou van me schrikken,' mompelde Hanna en het volgende moment schoot ze overeind en keek, een mondhoek grijnzend, haar moeder aan.

'Je wang is dik.'

'Dat weet ik ook wel.' Ze liet zich achterover vallen, tilde haar hoofd op en trok het washandje eronder vandaan.

'Hoe moet dat nou, 't is Kerstmis.'

'Je moet de centrale doktersdienst bellen en vragen waar ik naar toe kan gaan.'

Handenwringend kwam haar moeder op het bed zitten. 'Ik kan niet naar buiten, echt waar, m'n borst doet zo'n pijn. Ik krijg haast geen lucht.'

'Blijf dan in je bed en kom me niet lastig vallen.'

'Het is zo slecht opgemaakt, ik voel steeds de matras.'

'Ik word doodziek van je. Straks wil je nog in mijn bed.'

'Natuurlijk niet lieverd.'

'Ga alsjeblieft naar je eigen kamer.' Ze legde een hand over haar ogen en hoorde haar moeder wegsloffen.

Langzaam kleedde ze zich aan. De panty was hard aan de teenstukken en moest nodig gewassen. Haar duim haakte in het nylon. De zoveelste haal, vooral bij de hielen zaten ze, donkere horizontale ribbeltjes met een minuscuul lusje in het midden. Viezigheid ontstaat veel makkelijker als je weinig geld hebt, dacht ze. Er waren echter veel vrouwen in de straat die er anders over dachten. Die gaven de vitrages geen kans te vergelen, poetsten het koper aan de kaalgetrapte deuren en schrobden de smerige stoep. Die lieten hun schoenen op tijd verzolen, hun goed was schoon en hun schorten werden al even fervent gewassen en gestreken. Desondanks zagen ze er armoedig uit, of ze nou oud waren of op een leeftijd dat arbeiders naar hen floten. Die vrouwen ergerden zich aan buren die zich niet aan de regels hielden: de rommel op straat, men zette maar neer. Op een keer zelfs een koelkast waar een kind in was gekropen dat pas 's avonds, bijna gestikt, werd teruggevonden. De luide radio's en televisies, het gebonk op de vloeren en trappen, vaak op ongehoorde tijden, het schreeuwen over straat alsof de ruzies thuis niet al voor iedereen verstaanbaar waren. Hier werd het geld liever aan drank uitgegeven. Daar gingen de kinderen te laat naar bed, ze vloekten verschrikkelijk en hun moeders lieten de was te lang buiten hangen. Schande spraken die rechtschapen vrouwen over het jonge stel dat hier vorig jaar was komen wonen. Over hem wisten ze niet zoveel, behalve dat ie erg laat thuiskwam. Maar wat vrat zij ondertussen uit? Om de dag kwam er een pedicure op bezoek, een behandeling waarvoor de gordijnen gesloten werden. Ook stond er wel eens een motorfiets. Hoe de berijder eruitzag wisten ze niet want hij droeg een helm met een zwarte klep voor zijn gezicht. Het ergste was wel dat die blonde haar kind verwaarloosde. Kon het eigenlijk al lopen? En praten? Er was niets mis met zijn stembanden, wisten de buren. Hij schreeuwde en huilde regelmatig als was het een liedje dat hij niet meer uit zijn hoofd kreeg. Het klonk altijd van dezelfde plaats. De kinderbescherming moest erop afgestuurd worden!

Ach, het bleef altijd bij roddelen, dacht Hanna. Zij en moeder waren zelf een onderwerp van gesprek.

Een fijne regen wiste de restjes sneeuw van de auto's. De slagersvrouw stond achter het raam. Het gordijn hing als een sluier over haar duster. In haar ene hand hield ze een gietertje, haar andere hand pikte een blaadje van de vensterbank. Voorovergebogen, zonder groeten, liep Hanna voorbij. De capuchon zat strak over de sjaal die ze om haar hoofd en hals gewikkeld had.

Ze veegde haar voeten en ging de voorkamer binnen. Moeder lag voor zich uit te kijken. 'En?' vroeg ze. 'Kan je terecht?'

'Ik moet geld hebben.' Ze liet zich in een stoel bij de kachel vallen en stak haar handen uit.

'Er moet olie bij,' zei mevrouw Beijer.

'Straks. Ik ga er nu gelijk heen.'

'Je ziet er slecht uit.'

'Geef me vijfentwintig gulden.'

'Zoveel?' vroeg mevrouw Beijer geschrokken.

'Moeder, binnenkomen kost al geld.'

Mevrouw Beijer keek haar dochter onderzoekend aan. 'Je bent toch niet van plan om met de taxi te gaan?'

'Als je me dat zou gunnen mag je me wel het dubbele geven.'

'Ik geloof er niets van. Geef me m'n tas.'

Met een zuur gezicht haalde ze een opgevouwen briefje uit haar beurs. Hanna trok het haar uit de vingers.

‘Verlies ’t niet.’

‘Ik zal het de hele weg vasthouden, goed?’

‘Geef me ’n zoen.’

‘Hoe kan ik je zo nou ’n zoen geven,’ zei Hanna korzelig.

‘Gisteravond ben je ook zomaar naar bed gegaan. En jullie waren, jullie waren vreselijk onaardig voor me. Het is min om iemand zo te behandelen wanneer die ziek is en ouder en nota bene je moeder. Eert uw vader en uw moeder. God zal je ervoor straffen.’

De voordeur sloeg dicht. Mevrouw Beijer trok het dek tot aan haar gezicht en legde haar handen op haar borst. Ze weet dat het veel geld is, dacht ze. Er komt iemand de trap af. Het is mevrouw De Rooy. Ze heeft haast, zou hij soms ziek zijn? Het is de laatste dagen stil boven. God, als ik sterven moet, zorg dan dat ik niet alleen ben. Wie bidt er voor mij? Laat me niet in m’n slaap gaan. Luister naar me. Ik ben op, niemand gelooft het. Ik heb een vreselijke zonde begaan. Heb erbarmen, vergeef me, u hebt me met m’n leven gestraft. Deed ik het per ongeluk? Het heeft ’m geen pijn gedaan. Kom ik in de hel? Ik wil het Heilig Oliesel. Is hij wel bij u? Hij hield niet van me, hij dronk te veel, maar hij schreide toen de kleine jongen stierf. Hij heeft geen tijd gehad om vergiffenis te vragen. Hij was niet slecht, niet helemaal. Hoe mild bent u? U hebt ’m de kans niet gegeven zijn leven te beteren. Heeft ie andere vrouwen bezeten? Heeft ie me bedrogen? Laat me zijn gezicht zien. Hoe oud is ie nu? Ik verwenste zijn liefkozingen maar dat is geen zonde. Zijn m’n ouders bij u? En de kleine jongen? M’n zusje Theresia? Is… is Pietje Veldmuis daar?

Hanna had haar capuchon neergelaten en de sjaal opgevouwen. Niemand stoorde zich hier aan een misvormd uiterlijk. Naast haar zat een man die aan één stuk slikte en tussendoor zijn keel schraapte. Een donkere man ijsbeerde in ’t rond met zijn dikke wang, zonder op de andere aanwezigen te letten. Verder zaten er een jongen en een meisje aan wie niet te zien viel wie van de twee het slachtoffer was, ze zeiden niets en hielden elkaars hand vast, en een moeder met een meisje op schoot dat tegen een zakdoek op haar schouder lag. Toen het kind begon te snikken klopte ze het op de rug. Ze draaide zich naar de jongen en het meisje. '’t Zal wel pijn doen,' fluisterde ze. 'Ze is op de duikplank gevallen. Zo ongelukkig. Ze gleed uit en pats! zo op haar gezicht. De boventandjes zijn afgebroken.' De jongen knikte ernstig. 'Schatje, niet zo huilen, daar gaat ’t harder van bloeden. Denk eraan dat opa vanmiddag komt om paardjes voor je te bakken.'

Een jongen van een jaar of zestien kwam, met de hand voor zijn mond, de behandelkamer uit. De gastarbeider voelde weifelend aan een knoop van zijn colbert, rechtte zijn rug en ging naar binnen.

'Kom, m’n schatje, na die mevrouw zijn wij aan de beurt. Hij doet je geen pijn. Ik ben bij je, ik blijf bij je.'

Hanna draaide haar blik van de een naar de ander. Twee mannen van middelbare leeftijd kwamen binnen. Ze droegen getailleerde kostuums, de pijpen van de pantalons hingen bijna op de grond. 'Wie is de laatste?' vroeg de man met kroezende bakkebaarden. De man naast Hanna stak zijn hand op.

'Ga hier zitten, Hans. Niet flauwvallen hoor, ga dan maar liggen op die bank, ruimte zat.'

'Wat is ’t hier ongezellig,' zei hij even later. 'En ik begrijp niet als ze zeggen dat je om elf uur moet komen en je bent er op tijd, dat ze je dan laten wachten want die is voor je en die, nou ja, nog vier. Laten ze zeggen dat we om twaalf uur moeten komen, niet? Ik denk dat ik er wat van ga zeggen.'

'We wachten allemaal,' zei de moeder van het meisje laatdunkend.

De gastarbeider kwam naar buiten. Hij wees op zijn mond, spreidde de vingers en liet zo weten dat hem gezegd was die tijd te wachten. Hanna stond op en liep met trillende knieën naar de behandelkamer.

Een forse vrouw in een witte jas stond met de rug naar haar toe de handen te wassen. 'Gaat u maar zitten,' zei ze zonder op of om te zien.

De boor hing tergend stil als de schaar van een kreeft, klaar om uit te schieten. Een felle lamp stond op haar schoot gericht. Haar handen lagen gebald, als twee geplukte duifjes, op de sjaal. Zacht piepende voetstappen naderden de stoel.

'Ja, open maar.' Lavendel mengde zich met de lucht van kamfer. De lamp werd dichterbij getrokken. Het hoofd van de tandarts boog zich naar haar toe. 'Wat verder open graag.'

Hanna keek voorbij de hand boven haar mond en zag een fronsend voorhoofd, een pipse neus en oogleden die met een vleugje groen waren gesierd. De tandarts tikte met een tangetje tegen haar boventanden en de kiezen aan de andere kant. 'Daar mag ook wel eens wat aan gedaan worden.' Ze ging een stap opzij, bereidde iets boven een tafel en hield toen een injectiespuit omhoog tegen het licht.

'Gaat u trekken?'

'Waar dacht u dat u die dikke wang van had? Even helemaal ontspannen.'

De tranen sprongen in haar ogen toen de naald in haar wang prikte en de vloeistof inspoot. Voor de tweede injectie raakte de naald haar verhemelte, verschoof een weinig, en schoot door met een koud golfje dat in haar neusholte drong. Bittere druppels gleden in haar keel. Ze hapte naar adem.

'Wilt u even in de wachtkamer wachten,' zei de tandarts. 'U kunt binnenkomen als de meneer met het snorretje geweest is.'

Een jongetje fietste van de stoep af en hup er weer op. Hij moest naar buiten zijn gestuurd, geen kind speelde in de regen en zeker niet wanneer er een middagvullend televisieprogramma was. Hanna miste die wereld vol verhalen, zelfs de gezichten van omroepers die goedenavond zeiden alvorens ze van wal staken. Toen ze de reparatie aan het toestel op vijf tientjes schatte, had haar moeder uitgeroepen dat dat weggegooid geld zou zijn. Niet alleen omdat ze nauwelijks keek maar ook omdat ze het medium wantrouwde. In haar ogen was slechts de krant eerlijk. Mannen op de maan die je rechtstreeks kon zien? Allemaal leugens, allemaal truc. Ze had het belachelijk gevonden dat iedereen, tot haar man en kinderen toe, daarin geloofde en had zich boos gemaakt op de kranten die foto's afdrukten van de film die ze, volgens haar, gewoon maar ergens hadden gespeeld. Want stenen die van de maan waren meegenomen? Die lagen op het plaatsje achter ook.

Omringd door kranten zat mevrouw Beijer in bed. Ze lagen over haar schoot, op het voeteneind, naast het bed, enkele exemplaren staken tussen het bed en de muur. 'Ik ben blij dat je er bent,' verzuchtte ze. 'Ik kan 't niet vinden. Elke keer pak ik er een die ik al gezien heb. Hier, Josephine... met droefheid geven wij kennis van het overlijden van mijn beminde vrouw, onze lieve moeder en grootmoeder, Josephine 't Hof-Van der Does, op de leeftijd van achtenzeventig jaar. 's-Gravenhage, Johannesburg, Bashnen... waar is dat? Geen bloemen. Volstrekt enige kennisgeving... Werd plotseling van ons weggenomen onze lieve Margje. Zeker 'n kind. Zij werd in stilte gecremeerd. Namens de familie... vijf namen. Die heb ik nou al drie keer zien staan.'

'Wat zoek je?'

'Ik zoek Pietje Veldmuis, ik wil zeker weten of ie overleden is.'

'Dat is onbegonnen werk, hij kan al maanden dood zijn. Als ie dood is.' Hanna streek over haar wang en kneep erin.

'Antonius, geboren Schelling, orde der franciscanen. Er gaan veel kloosterlingen, allemaal 'n hoge leeftijd. Hanna, als we ze nou op datum leggen?'

'Dat lagen ze.'

'Heb je kranten weggegooid?' vroeg mevrouw Beijer achterdochtig.

'Ik heb er een of twee gebruikt.'

'O,' jammerde ze, 'dan heeft 't daar natuurlijk in gestaan.'

'Doe niet zo leip. Die man kan wel 'n halfjaar geleden dood zijn gegaan.' Het praten viel haar moeilijk, de stijfheid in haar wang gaf het gevoel of haar tong eruit kon vallen.

'Ja, daar moet het in hebben gestaan.'

'Helemaal niet gezegd dat ze 'n bericht in de krant hebben laten zetten.'

'Zo'n chique familie.' Mevrouw Beijer keek haar dochter verwijtend aan. 'Zulke mensen zetten 'n advertentie omdat dat hoort.'

Hanna trok haar schouders op en wendde haar gezicht naar het raam.

'Dat hoort,' zei mevrouw Beijer, 'wanneer je van goede huize bent. Dan moet iedereen het weten. Hier, een freule, zesentachtig jaar en toch nog onverwacht. Je moet van adel wezen, in zaken zijn of een andere hoge positie. Er staan er soms wel drie in van dezelfde personen.'

'Het is goedkoper dan kaarten sturen.'

'Maar ze sturen ook kaarten natuurlijk.'

'Jij hebt geen kaart van die Veldmuis gehad.'

Mevrouw Beijer zweeg even nadenkend en zei vergoelijkend: 'Ik ken de verdere familie immers niet. Wat ziet je wang nog dik, hij steekt voorbij je neus. Je hebt nu toch geen pijn meer?'

'Nog verdoofd.'

'Wat hebben ze getrokken?'

''n Kies.' Ze likte met de punt van haar tong langs de wond. Een stukje rauwe lever, dacht ze.

'Zo, nou, je bent er in ieder geval vanaf.'

De herinnering aan de injecties was nagenoeg even pijnlijk, en er gleed een rilling over haar rug die zich over haar nek en armen voortzette als kippenvel toen ze zich weer de tang voorstelde die om de zieke kies werd geklemd. Haar hoofd werd mee naar voren getrokken. Met wortel en al liet hij zich uit het huisje rukken waar hij zijn leven lang vertoefd had.

'Je zou de olie bijvullen.'

Ze wreef over haar armen en keek naar de overkant, naar de oude man die onder de verdieping van de beroddelde blonde woonde en reikhalzend stond uit te zien.

'Hanna...'

'Ja.'

'Je hebt gezegd dat je...'

'Ik ga al.'

Het zachte weer had ze niet minder doen stoken. Moeders kouwelijkheid won het in dit geval van haar zuinigheid. Het vaatje olie was het enige waar de uitbouw voor gebruikt werd. Olie vond moeder vies en gevaarlijk, dat spul mocht niet in huis worden opgeslagen, en voor haar hoorde de uitbouw niet meer bij het huis. Het kabouterbehang zag dof van schimmel en was hier en daar in flarden afgeweekt. Het speelgoed in de kartonnen doos die aan een kant openhing, was een hoopje afval en schroot. Een brandweerwagentje was redelijk intact gebleven en een beertje rustte, de pootjes wijd, een kuifje kapok uit zijn buik, tegen de resten van die kindertijd.

Mevrouw Beijer hield de krant vlak voor haar neus. 'Dit heb je me nooit voorgelezen,' zei ze en langzaam las ze hardop: 'Zo voelen en beleven niet weinigen de stille dood van deze kleinsten niet of nauwelijks als een grove schending van wat gerechtigheid en barmhartigheid primair vragen, aldus de bisschop. Monseigneur Gijsen noemt abortus kindermoord. Artsen die abortus bedrijven, verloochenen hun roeping.' Ze liet de krant zakken, zei instemmend: 'Hij heeft groot gelijk. Het is 'n schande, zo'n arm kindje kan zich niet verweren, kan nog niet eens praten, ach wat vreselijk', en verdiepte zich verder in het stuk.

Hanna veegde de tuit af met een lap, draaide de dop aan en zette de kachel hoger.

'Is 't werkelijk waar?' vroeg haar moeder geschokt. 'Bestaan er klinieken waar ze aan de lopende band kinderen eruit halen en weggooien en dat dat wettelijk is toegestaan? Nee toch...?'

'Allang,' zei Hanna.

'Daar weet ik niks van. Dat heb je me nooit verteld of voorgelezen.'

'Niet goed voor jou, je ziet hoe je je opwindt.' Ze bracht het vaatje terug en keek in de keuken in het spiegeltje. De rechterkant van haar gezicht was nog net zo opgezet als vanmorgen. Ze hield haar mond onder de kraan, liet het water erin kolken en spuwde het uit. Nu moest ze wat eten. Had moeder ontbeten? Er stond geen gebruikt bord. Ze goot resoluut een kwart fles melk in de steelpan en brokkelde er een stuk brood boven. Even later zat ze met een dampend bord pap aan het raam. Ze schepte haar lepel naar de rand toe halfvol en blies.

'Ik lust ook wel wat,' klonk het bedelend van het bed.

'Heb je dan nog niet gegeten?' veinsde Hanna verbaasd.

'Ik was zo naar vanochtend.'

'Hoe heb je dan al die kranten naar binnen gekregen?'

'Heel vermoeiend,' zei mevrouw Beijer. 'Ik ben wel zes keer op en neer gelopen.'

'Als je zoveel energie had, had je ook wel wat kunnen eten.'

'Ik ben bang dat ik het niet lang meer maak.'

'Waarom zou je dan nog eten?' Ze hoorde een krant ritselen en van het bed glijden.

'Je bent zo gemeen,' zei mevrouw Beijer met een gesmoorde stem die piepend eindigde: 'Je wenst je eigen moeder het graf in.'

Met smaak lepelde Hanna de pap op. Ze zoog de zoetigheid tegen haar verhemelte waarna ze het warm door haar slokdarm voelde zakken. 'Jij met je duur,' zei ze. 'Je krijgt nog 'n rekening van 'n tientje. Een kies trekken kost al vijfendertig gulden. En het gaat nog veel meer kosten, ik laat alles opknappen.'

'Vijfendertig gulden?'

'Dat gaat je zeker duizend kosten als het niet meer is.'

'Een gebit is niet zo duur.'

'Een gebit? Een gebit? Maar dat neem ik niet,' zei Hanna, onderwijl haar vinger over het bord halend en aflikkend. 'Het is jouw schuld dat het zo rot is. Ik heb altijd slecht te eten gekregen. De tandarts vroeg of ik was grootgebracht in 'n weeshuis.' De leugen miste zijn uitwerking niet. Moeder schudde ontdaan haar hoofd. Geloofde ze dan zelf in de akelige verhalen die ze er vroeger over deed? Coby was ze er een keer naar toe gaan brengen om zogenaamd voorgoed van haar af te zijn en uit dankbaarheid, omdat moeder vlak voor het tehuis zo aardig was om te keren, was Coby wekenlang poeslief geweest. 'Ik neem kronen en bruggen. Dat hebben die rijke dooien uit de krant ook in hun mond zitten. Ik laat niet de uiteinden van m'n skelet eruit trekken.'

'Je bent niet goed bij je hoofd.'

'Weet jij hoe 'n kroon eruitziet? Waar is het eindpunt van lijn een? Is de koffie duurder of goedkoper geworden? Waar woont die Gijsen van je?'

'Dat heb je me allemaal nooit verteld.'

'Lees zelf, zet je bril op.'

'Het gaat zo toch ook.'

'Trouwens, je doet je tanden zelfs niet meer in.'

'Ik zal 't doen,' zei mevrouw Beijer en schoof gehoorzaam haar benen onder het dek vandaan. 'Ben je dan niet meer lelijk tegen me?'

'Als jij je mond houdt, hoef ik ook niks te zeggen.'

'Maar we wonen in één huis.'

'Zeg dan 't hoognodige.'

'Wat is 't hoognodige?'

'Als 't nut heeft.'

'Dan wil ik weten wat er met Pietje gebeurd is en wat er in de krant staat.'

'Zoek dat dan in je eentje uit.'

'Jij hebt jonge ogen en goeie benen.'

'En jij verzint dat je oud bent, je houdt te veel van jezelf.'

'Ik hou van m'n kinderen.'

'Je staat met je blote voeten op het zeil.'

Zittend op het bed trok mevrouw Beijer haar pantoffels aan. 'Wat zal ik nou eten?' vroeg ze zich hardop af. Ze liet de pantoffels van haar voeten vallen en kroop weer onder de dekens. 'Ik weet 't niet en ik heb geen trek.' Zonder zich om de kranten te bekommeren, draaide ze op haar zij. 'Ik wacht wel tot vanavond.'

Hanna had geen zin om te lezen noch om de kranten, die vrijwel allemaal op de grond terecht waren gekomen, op te bergen. De verdoving raakte uitgewerkt, jeukend kwam het leven in haar koon.

Op straat gebeurde weinig. Nu en dan reed een auto met bezoekers aan of af en de enkeling die zich buiten waagde, zette er onder bescherming van een paraplu of met het hoofd gebogen, flink de pas in. Terwijl ze gedachteloos naar de overkant keek, leunde zomaar pardoes een man, zwaaiend op zijn benen, tegen het muurtje tussen de ramen. Zijn kleren waren nat en uit zijn haar sijpelde het water over zijn gezicht. Morrend, met zijn linkerarm gebaren makend, zijn rechterhand hortend schuivend over het raam ter hoogte van Hanna's gezicht, begon hij door te lopen. Met dezelfde bewegingen van slappe armen en benen en net zo'n opgeblazen hoofd was vader vaak thuisgekomen. En als ie binnen was schold hij en sloeg naar de voorwerpen die zijn gang naar het bed belemmerden. Had hij eens een goede dronk, dan liep hij, onsamenhangende grappen en vunzige opmerkingen makend, achter moeder en, later, achter Coby aan. Ze sloten zich voor hem op in de wc en dan werd hij razend en zocht, ze de tering wensend, zijn bed op. Zo ging het, ging het steeds vaker, dacht Hanna. Tot op de dag van zijn dood. De mis heeft veel geld gekost, 't was in de kerk, chic, met een loper. Is 't niet misdadig? Moeder klaagde altijd over 'm maar wilde 'm in de hemel, een ketter, een ongelovige. Ze wordt wakker, straks roept ze me.

Ze duwde haar voorhoofd tegen het raam, kneep haar ogen toe en toverde zijn gezicht te voorschijn. Het knipperde met de wimpers en zei meesmuilend: 'Tut hola.'

VII

De volgende dagen bleef mevrouw Beijer in bed. 's Middags stond ze op om aan het raam te gaan zitten maar binnen een kwartier verwisselde ze haar stoel weer voor het bed. Nadrukkelijk riep ze haar dochters naam wanneer ze een conversatie wenste, of een antwoord, of alleen maar haar stem wilde horen.

's Avonds las Hanna de krant voor. Het lezen nam veel tijd in beslag omdat mevrouw Beijer tussendoor vragen stelde en van haar instemming of afkeuring getuigde. Wanneer een blad werd omgeslagen, vroeg ze of alles gelezen was en verzuchtte dat het vlugger ging dan vroeger, dat het wel leek of er minder in stond. Sputterend viel ze uit als Hanna dan aan de tekst van een advertentie begon.

In de etalages was de kerstversiering nog niet of slechts gedeeltelijk verdwenen en aangevuld met een tekst waarin de cliëntèle een voorspoedig nieuwjaar werd toegewenst. Kinderen stroopten, gewapend met stukken hout, fietskettingen en touwen, in geval ze slaags zouden raken met een andere straat, de buurt af naar kerstbomen. De bomen werden opgeslagen in het plaatsje achter de slagerij. Op oudejaarsochtend reden een politieauto en een wagen van de gemeentereiniging voor. Onder gejoel van de jeugd werd de buit weggesleept. De slager wist van niks en liet zich niet zien. 's Middags moest hij een stuk karton plaatsen achter de ster in de ruit aan de door hem vervloekte straatkant. Hij deed het met een gezicht van een onbegrepen martelaar, een uitdrukking die hem niet stond boven zijn bebloede sloof. Lastig, die scherven en tocht, vond hij. Slordig, dat gat. Maar, godlof, er zou geen fik zijn.

Hij kreeg geen gelijk. Al voor de klokslag van twaalven renden oudere jongens en kinderen met brandstof over straat. Bomen, die zojuist waren afgetuigd, stoelen, kussens, hout, kranten en autobanden. Alles brandt. Een matras, traploper, tweepotig krukje, kapot speelgoed, de hele armetierige troep ging erop. Hoog laaide het vuur en, aangewakkerd door een flauwe bries, boog het zijn vlammende koppen en dikke zwarte rook pal in de richting van de slagerij. De stank van rubber drong naar binnen via het gat in de etalageruit. Handenwringend kon men de slager onder het schijnsel in zijn winkelruimte zien staan. Rotjes ontploften in de fik, keukenmeiden snierden er zigzaggend uit, het klapte en rommelde overal.

Hanna rende de stoep over, ontweek een brandend lontje dat achter haar hielen een knal veroorzaakte, en bereikte hijgend de telefooncel. Er stond een man in met een jongetje dat op zijn sterretje tuurde. Toen het uitgeschitterd was, blies hij op het smeulende staafje en liet het vallen.

Mevrouw Beijer zat opgewonden aan het raam en deed, ook tijdens Hanna's afwezigheid, verslag. Het merendeel zinde haar niet. 'Alles mag zeker omdat het nieuwjaar is,' zei ze. 'Ze staan te flirten, vijftien, zestien, ouder zijn ze niet. Die van Haan laat zich gewoon aflikken en nou kijkt ze bang om voor 'n knal, doet die jongen of er niets aan de hand is. Daar komt 'n auto aan, hij kan wel toeteren maar door die brand komt ie nooit heen. Tenzij over de stoep, dat gaat misschien net. Ze tillen 'n fiets op, die gaat er zeker ook in, wat 'n zootje. Als ie nou van iemand is... nee, hij heeft geen voorwiel meer. Meneer De Rooy is nog steeds niet buiten, anders steekt ie ook altijd van alles af. Er is veel bezoek, ik zie vreemde gezichten.'

'Is dat niet die man die naar het eind van de straat woont, die de ene keer borstels verkoopt, dan weer boeken en tegenwoordig in een auto rijdt met potten?' vroeg ze toen ze de deur van de kamer hoorde gaan.

Hanna ging tegenover haar zitten en schonk voor zichzelf een glas van de wijn die ze voor de jaarwisseling had mogen aanschaffen. 'Welke man?' vroeg ze.

'Die, die in dat lichte jasje. Hij heeft z'n snor afgeschoren volgens mij.'

'Dat is 'n ander.'

'Ja hoor, het is die man van die potten. Je had zelf gehoord dat ie het hele land door rijdt en België.'

''t Is 'm niet.'

'Hij heeft hetzelfde figuur en net zulk haar. Dat kan ik goed zien.'

'Wie is die vrouw dan die naast hem staat?'

'Zijn zuster?'

'Ze is wel twintig jaar ouder.'

Mevrouw Beijer negeerde Hanna's spottend lachje. 'Het is 'n grote schande,' zei ze, 'wat ze allemaal de lucht in schieten. Zoals het er morgen uit zal zien, verschrikkelijk. Van die dingen die ze in flessen afsteken kan ik hier niets zien. Komt Coby morgen? Was ze op? Was ze binnen? Is 't daar ook zo'n zootje? Nou gaan ze er 'n doos met rommel opgooien. Wat valt er nou uit, 'n mutsje?'

''n Pruik.'

'Raar om dat te verbranden. Had je haar of Dannie?'

'Coby.'

'Komen ze?' vroeg mevrouw Beijer terwijl ze naar buiten bleef turen.

Een man griste de pruik van de straat en zette hem op, en tot hilariteit van de omstanders liep hij heupwiegend achter de doos aan.

'Ik heb gezegd dat het beter was van niet,' zei Hanna.

'Hè?' Verbaasd draaide mevrouw Beijer haar hoofd.

'Dat je moet rusten.'

'Waarom?' Ze was perplex.

'Je hebt de hele week in bed gelegen.' Bedaard nam Hanna een slok. 'Het zou te druk voor je zijn.'

'We hadden afgesproken dat je zou vragen...'

'En toen vroeg Coby hoe het dan wel met je was en toen heb ik gezegd dat je je bed haast niet meer uitkomt, dat je er iedere dag in bent gebleven. Als ze probeert op te staan gaat ze weer als 'n lijk terug. En klagen, en zuchten, en hoesten. Wordt 't overigens geen tijd? Je zit al 'n uur op.'

'Het is nieuwjaar...' zei mevrouw Beijer. 'Coby is m'n dochter.'

'Ik ook. Gelukkig nieuwjaar.'

'Wij hebben 't al gewenst, ik heb haar niet eens gesproken.'

'Bel dan even op.'

'O!'

'Ik ben zo ziek, ik ga dood, doohoohood,' zong Hanna. Ze zette het glas aan haar lippen en nam een lange teug. 'Dat ben jij. Maak je geen zorgen, moeder, ze komen om een uur of drie. Op de thee. Iets anders kan je ze toch niet aanbieden.'

Opgelucht slaakte mevrouw Beijer een zucht maar het volgende moment fronste ze haar wenkbrauwen. 'Waarom deed je zo?' vroeg ze. 'Waarom lieg je?'

'Ik lieg niet.'

'Eerst zeg je dat ze niet komen.'

'Dat heb ik niet gezegd.'

'Je hebt gezegd dat ze niet komen omdat ik in bed moet blijven. En ik wil daar best voor opstaan.'

'Ik heb gezegd dat ze beter niet konden komen, dat is heel wat anders. Je kan ook al niet meer luisteren.'

'Dat ik lig te hoesten en te klagen.'

'Klopt.'

'Waarom zeg je het dan?'

'Omdat het zo is?'

'Maar nou komen ze wel.'

'Ik leg je niets meer uit, ik praat niet meer tegen je.' Hanna hield de fles boven het glas tot er geen druppel meer uitkwam. 'Je kan niet goed kijken, niet lopen, niet naar buiten toe, je kan niets niets niets, en nou ben je ook nog doof geworden.'

'Ik hoor alles wat je zegt, ik ben niet doof.' Hanna boerde. 'Drank,' zei mevrouw Beijer. 'Ze lijkt op haar vader, ook aan de fles. Wat een gezin, allemaal zijn schuld.'

'Hou je mond, verdomme.'

'Vloeken deed ie ook zo. Een hongerloon bracht ie in en geen...' plechtig sprak ze het uit: 'Eerbied.'

'Kan je daar wat voor kopen.'

'Je hebt de hele fles leeggedronken, zie je wel.'

'Ik ben niet dronken, mens.'

'Dat zei hij ook, terwijl hij stonk van z'n hoofd tot z'n voeten.'

Hanna fixeerde haar blik op het onopgemaakte bed. Een scheldende Coby, het lichaam van haar vader, flarden van vroeger tot aan eerste kerstdag verdrongen zich beurtelings. De muur en kastdeur werden donker, licht, weer donker. Het bed begon te dansen. 'Nergens begrijp je iets van,' zei ze. Haar hoofdhuid prikte, haar rug werd koud. Ze zette het glas op de vensterbank en staarde in het laatste slokje wijn dat een luchtbelletje naar het oppervlak stootte. Geeuwend stond ze op en ging naar bed.

Aan het begin van haar avondgebed vroeg mevrouw Beijer vergiffenis voor Hanna's leugen en het drinken van een hele fles. Buiten klonk er nu en dan nog een knal, de fik lag na te smeulen. In de ochtend doofde de vlam onder de sintels en geblakerde wrakstukken en de eerste kinderen die in de lauwe as porden, zagen dat ze net te laat waren.

VIII

Niet ver van het patronaatsgebouw stond Hanna stil. Sinds de uitnodiging voor het nieuwjaarspartijtje was haar verlangen ernaar met de dag toegenomen. Tegen de namiddag echter, toen ze haar natte haren kamde, nam het af. Tevergeefs had ze geprobeerd het prettige voorgevoel weer machtig te worden en wanneer haar moeder niet van alles in het werk had gesteld om haar thuis te houden, was ze niet gegaan. Het geteem had haar kwaad gemaakt en zeker van haar besluit.

Het naderend geluid van een bromfiets zette haar aan door te lopen. De deur hing op een leertje. Van boven kwam muziek die hol in het trappenhuis weerklonk. Ze hoorde de brommer de stoep op rijden.

Ze hing haar sjaal en jas in de garderobe en ging voor de spiegel staan. De sjaal waarin ze haar hoofd op zo'n manier had gewikkeld dat haar haar niet kon verwaaien, bleek haar kapsel geplet te hebben. Futloos hing het op haar schouders. Debielenkapsel, dacht ze en trok het speldje eruit. Een lange lok gleed voor haar oog.

'Ik zal 'm maar op de grond leggen onder m'n jas,' zei een jongen en bukte zich met een bromfietshelm tussen zijn handen.

'Leg 'm op tafel,' zei zijn meisje.

'Nee,' zei hij en draaide argwanend zijn hoofd. 'Dan gebruiken ze 'm als prullenbak.'

Het meisje lachte en kwam naast Hanna staan. Ze schudde haar haren en draaide met wat speeksel een krulletje aan.

Toen ze aanstalten maakten naar binnen te gaan, opende Hanna haar handtasje, deed of ze iets zocht, duwde met haar vingers op de portemonnee en liep achter het stelletje aan. Na een stap over de drempel bleef ze staan. Het zaaltje dat ze slechts kende van de ontbijten die het patronaat tweemaal per jaar offreerde, had een totale verandering ondergaan. In plaats van de lange tafels stonden er kleine tafeltjes langs de kant. Ook onder het raam was een zitje gemaakt met behulp van een omgekeerde kist waarop een kaars brandde. Er hingen posters van popgroepen en vakantielanden aan zee en er was een bar waarboven in een net gekleurde lampjes brandden. Koortsachtig keek ze rond, zich voorstellend hoe ze daar zou gaan zitten of juist daarachter in de hoek, of twee stoelen van het meisje dat net naast haar had gestaan. Als ze apart ging zitten, viel ze op; er zat niemand in z'n eentje. En als ze ergens aansloot werd er vast gevraagd wat ze kwam doen of ze zouden vinden dat ze er voor spek en bonen bij zat. Ze koos voor de bar. Er zaten twee jongens, de overige krukken waren onbezet. Door te bestellen, te betalen en vervolgens te nippen van het glas rode wijn, was ze even gekalmeerd. Buiten de drank restte evenwel niets anders dan rondkijken en toen haar blik een paar maal werd opgevangen door andere ogen, voelde ze zich betrapt en begon van het bierviltje voor haar naar de barkeeper te kijken, regelmatig een slok nemend. Lang bestudeerde ze de prijslijst; met vier consumpties zou haar geld op zijn. *Leverworst* en *Harde worst*, las ze op een lei.

Fier liep Theo Oldenzaal het zaaltje in en zoals een vader een geslaagd rapport inziet, bezag hij zijn pupillen. Toen hij Hanna ontdekte, krulden zijn mondhoeken en zo kordaat stapte hij op haar af dat het leek of hij een pepertje ontlopen wou.

'Eens moet de eerste keer zijn,' zei hij onbescheiden op Hanna's beleefde groeten. 'Je bent vroeg.'

'U heeft er heel wat aan versierd.'

'Wat zeg je?' Hij wees van zijn oor naar de platenspeler. Waar de vorige keer een pleister had gezeten, bolde nu een met geel poeder aangestipte pukkel.

'Dat u 't zo versierd heeft.'

'Dat doen de jongens. Zeg jij hoor, dat doen ze allemaal. Zoveel schelen we niet. Ik zou van geen van ze de vader kunnen zijn,' zei hij lachend. 'Nou ja, een of twee, met veel moeite.' Hij gaf een tikje tegen haar arm. 'Sorry, ik moet even naar iemand toe. We zien elkaar straks nog wel.'

Ze zag hem naar het zitje achterin lopen waar hij wijdbeens ging zitten.

'Zeg juffrouw...'

Hanna draaide haar ogen en vervolgens haar hoofd. Een van de jongens die aan de bar hadden gezeten, stond schuin achter haar.

'Neem me niet kwalijk als ik stoor,' zei hij en deed een stap naar voren. 'Maar als ik 't goed zie ben je nu met niemand in gesprek.'

'Wat 'n slijmerd hè?' vroeg hij samenzweerderig. 'Wou die 't met je aanleggen?'

'Meneer Oldenzaal?'

Hij stak zijn wijsvinger omhoog, zei 'Zo'n paal', en stak hem grinnikend vooruit. 'Moet je 'm zien zitten, die bleekscheet.'

Tussen het duister van de gordijnen en zijn trui, was het gezicht van de jeugdleider een vlek. 'Het hangt aan 'n draadje,' zei Hanna.

''n Draadje! Wat ben jij onnozel. Hé,' de jongen boog dichterbij, 'ben jij zo onnozel?'

Hanna bloosde en greep naar haar glas. Zijn hand gleed om haar pols en drukte hem omlaag. 'Er zit niks meer in, moppie. Dirk,' riep hij. ''n Wijn en 'n pils.'

Toen de bestelling voor ze stond, liet hij haar pols los. 'Nou mag je pakken. Proost.'

'Proost,' zei Hanna beduusd.

'Ik kan je haast niet verstaan,' zei de jongen. 'De kleine onnozele, wat schattig.' Hij hield haar een pakje sigaretten voor. 'Kijk, en roken doet ze ook niet. Zo'n vrouw heb ik nou altijd willen hebben: verlegen, niet roken, lekker onnozel, ha! Ja, neem nog maar een slokje. Nou moet je niet opstaan.' Hij legde zijn hand op haar knie en vroeg lief: 'Heb ik je boos gemaakt moppie? Nee hè? Ja? Nee dus. Kijk me dan toch eens aan. Doe die oogjes eens omhoog.'

Hanna zag zijn natte lippen, de stoppeltjes eromheen en een stomp wipneusje. De onderlip was dik en hing een beetje. Hij stak zijn tong uit en zei: 'Hoger pop, heb je iets op je geweten?' De wimpers waren steil en, evenals zijn haar en wenkbrauwen, blond.

'Goed zo. Zeg nou maar eens hoe je heet.'

'Hanna.'

Hij sijfelde tussen zijn tanden. 'Mooie naam, hele mooie naam. Ik ben Adje. Zeg eens Adje.'

'Adje.'

'Hè,' zei hij en draaide met zijn schouders. 'Wat zeg je dat lekker.'

'Adje,' zei Hanna ondernemend.

'Ja mop?'

Ze kroop in haar schulp. 'Ik wou niet iets vragen.'

'Nou niet weer verlegen worden.' Hij legde zijn arm over haar schouders. 'En ook niet proberen weg te lopen.'

'Ik moet even.'

'Echt? Wel terugkomen want ik hou niet van smoesjes.' Ze knikte.

'Goed zo mop, ik hou van je,' zei hij en gaf haar een zetje.

Hanna glipte tussen de mensen door naar de garderobe. Een drom meisjes stond zich voor de spiegel op te doffen. Op de tafel in het midden lagen tasjes, een oorbel en een spuitbus, in een asbak lagen peuken weg te roken.

Langs de drie toiletdeuren trippelde een dik, gedrongen meisje ongeduldig heen en weer op schoenen met hoge hakken. Het privé-toilet van de staf was met een gewone sleutel op slot gedraaid en het kindertoilet, waar op de deur een kabouter op een potje was geschilderd, stond op bezet.

Er werd doorgetrokken en een jongen met haar dat bovenop was kortgeknipt maar onderaan in slierten hing, kwam naar buiten. Het dikke meisje was snel klaar, ze liet de deur openstaan en liep met driftige pasjes naar de spiegel.

Hanna wreef de toppen van haar vingers over haar hoofd. Roos dwarrelde op haar knieën, niet veel, geen vlokjes, het was vandaag gewassen. Roos geeft kaalheid, waar geen haar groeit zitten hersens, vrouwen hebben roos, vrouwen worden zelden kaal. Ze wachtte tot het gorgelende geluid in de stortbak overging in geruis. Hij heeft een ongunstig gezicht, dacht ze, en hij praat plat. En toch ben ik vrolijk.

Toen ze het zaaltje weer binnenging, zag ze een meisje tegen de muur zitten, lijkbleek, de ogen gesloten, de armen slap naast haar heupen. Een jongen schudde aan haar schouder. Ze zei een woord, zakte met haar bovenlichaam naar voren en bleef zo zitten.

Oldenzaal kwam zich ermee bemoeien. Ze keek op, zuchtte diep en liet zich opzij vallen. 'Optillen, jongens,' zei Oldenzaal. 'Onder de armen, aan iedere kant een.'

'Slapen,' zei het meisje.

'Even frisse lucht,' zei Oldenzaal opgewekt.

'Laat me slapen,' protesteerde ze toen ze overeind werd gehesen.

'Naar buiten, ze gaat overgeven, naar buiten,' piepte de jeugdleider zenuwachtig.

'Nee jongens, dat halen we niet, naar de gang, vlug.' Bezorgd ging hij, de armen gespreid, achter het drietal aan.

'Die komt voorlopig niet terug,' grinnikte Adje. 'Moet nodig assistentie verlenen, bijbrengen, hoofd koel houden, ondertussen met z'n handen aan der zitten, bij 'n dronken meid durft ie wel. En als ze bijkomt weet je wat ie dan doet, die gluiperd? Dan praat ie over manieren hebben. Hij voelt zich zo echt de baas. Hij maakt uit wat er gespeeld wordt. Heb jij vorige week gebiljart? Dan mag Jan nu, ga jij maar blaasballen. En van 't voorjaar gaan we kamperen in Maaseik, allemaal tien gulden meenemen voor februari.' Hij zette de fles op de bar, duwde zijn vinger in de hals en plopte 'm er weer uit. 'Moet je m'n zusje zien gaan, die kleine met dat korte rokje.'

'Zwart haar?'

Hij knikte en zei: 'Niet van der eigen. Wel 'n stuk hè, m'n zuster.'

Ze zwegen en keken naar het meisje dat zich geweldig stond in te spannen. Ze klapte de armen uit, fladderde met de handen, trok beurtelings haar knieën op en maakte tussendoor sprongetjes.

'Bijdehandje,' zei hij vertederd.

'Wonen jullie thuis?' vroeg Hanna.

'Wie niet?… M'n moeder is pleite,' vervolgde hij. 'M'n vader is gemeenteambtenaar en komt iedere avond met buit thuis. Kwartjes van de kranten, balpennen die hij allemaal uitprobeert, pornoboekjes, spullen waarvan ie bijna alles weer weg kan gooien.'

'Hoe komt ie daar dan aan?'

'Jezus, kleine onnozele, ooit 'n vuilnisman gezien die niet bekijkt wat ie uit de emmer kiept?' Hij schaterde en trok haar naar zich toe. ''t Is toch leuk dat ik je ontmoet heb, wat vind jij ervan?'

'Ik val bijna van m'n kruk.'

'Leuk toch.' Hij drukte een zoen op haar wang. 'Heb je 'n vriendje? Oldenzaal hoort je niet hoor,' fluisterde hij in haar oor. 'Ik kom je afhalen. Waar werk je?'

Hanna schudde haar hoofd.

'Waarom niet, werk je niet? Dan kom ik naar je huis. Ook niet? Wat is dat nou, zitten we hier de hele avond en dan laat je me stikken.'

'Nee, dat is niet zo.'

'Je hebt 'n grote broer die je in mekaar slaat als je aan z'n zusje komt,' zei hij. Hij vroeg om de rekening, stak een sigaret op en blies de rook langs haar gezicht. 'Ik ga ervandoor mop, als je me nog wilt zien moet je het nu zeggen.'

'Wanneer?' voegde hij er meer bevelend dan vragend aan toe.

Ze haalde diep adem en dacht aan haar moeders smeekbede twee haltes met de bus te gaan. 'Beloof 't me toch, je ziet ze niet in het donker.' Uitdagend sloeg ze de sjaal om en met een huppelende gang waardoor de pompons op haar rug dansten, begon ze te lopen. Ze keek de muziekwinkel binnen. Op de grote trom van een drumstel hing een papiertje 'Verkocht'. Toen ze in de verte een man zag, versnelde ze haar pas. Hij droeg weliswaar een leren jasje maar was breder dan Adje en had kortere benen. Teleurgesteld hield ze in en trok de sjaal over haar mond. Nog één blok, dacht ze. Moeder krijgt haar zin, voor elf uur ben ik thuis.

Ze slenterde de straat in aan de overkant en bleef, recht tegenover haar huis, achter een auto staan. Er brandde licht: moeder zat te wachten. Het moet later worden, dacht ze en minutenlang bleef ze staan. De kou drong door de dunne schoenen en kroop gestaag verder. Stijf en verkleumd stak ze uiteindelijk over.

Mevrouw Beijer stak haar hoofd de gang in, het haar stond in pluimpjes, met haar hand hield ze het vest gesloten onder haar kin.

‘Heb je met ’t licht aan geslapen?’ vroeg Hanna.

‘Ik weet ’t niet.’

‘Ga nou maar je bed in voor het koud is.’

‘Heb je het naar je zin gehad?’

‘Ja, maar nu ben ik moe.’

‘Als je zo laat thuiskomt heb je ook wel tijd om me fatsoenlijk antwoord te geven. Je staat te bibberen van de kou, je bent dus niet met de bus naar huis gekomen.’

‘Wees blij dat ik thuis ben.’

‘Blij? Had ik soms blij moeten zijn als er nu ’n agent aan de deur had gestaan?’

‘Houd je kalm, straks lig je weer naar adem te snakken. Ik ben er toch.’

‘Ik ruik ’t,’ dreigend kwam mevrouw Beijers hoofd naar voren. ‘Ik ruik de drank.’

‘Ik ben vanavond vrijgehouden door ’n jongen.’

‘Onbehoorlijk om een meisje drank aan te bieden. Heeft ie je naar huis gebracht?’

‘Jammer genoeg niet,’ zei Hanna. ‘Er waren inderdaad vreemde kerels op straat.’

Het oog in de door de kamerlamp beschenen helft van haar moeders gezicht sperde. Hanna voelde zich aangemoedigd verder te liegen. ‘Ze floten naar me of deden tjutjutju,’ klakte ze met de punt van haar tong. ‘In ’t halletje van de dierenwinkel stond er ook een die naar me lokte, en wat denk je? Hij had z’n gulp open, koud hè?’ Met deze woorden liet ze haar moeder alleen.

Uit een slaap waarin geen geluid of beeld meer doordringt, zo diep dat hij niet anders te beschrijven is dan duister en tijdloos, een slaap die een weldaad is wanneer men vanzelf ontwaakt, uit zo'n slaap werd Hanna ruw wakker geschud.

'Wakker, wakker. Ik geloof dat ie dood is.'

'Wie?' Ze dacht aan niemand en staarde versuft in het gezicht van haar moeder.

'Luister...' zei mevrouw Beijer en keek omhoog. Naast het geluid van voetstappen klonk een gierend huilen. 'Hoor je, er huilt iemand,' zei ze en pal erop: 'Ouwe De Rooy is dood.'

Het doet me niks, dacht Hanna. Het was een nare man. Toen ze die hond hadden, hoorde ze hem schelden tegen het arme dier en hem bekogelen en na een halfjaar deden ze hem de deur uit omdat ie te groot en te duur werd.

Geïrriteerd bewoog ze haar schouder onder haar moeders hand.

'Hanna... het is vreselijk,' begon deze te snikken. Ze klauwde zich aan haar dochter vast en onder korte, ingehouden kreetjes boog ze haar hoofd. Er viel een traan op Hanna's gezicht.

Hanna duwde haar van zich af en mevrouw Beijer sloeg de handen voor het gezicht en hield ze daar tot het gesnik in een kuch bleef steken.

'Dat je 't je aantrekt,' zei Hanna, 'van zo'n dierenbeul.'

Onder het uitstoten van een diep raspend geluid schudde mevrouw Beijer haar hoofd.

'Waarom huil je dan?'

Mevrouw Beijer legde de handen in haar schoot en liet haar hoofd achterover zakken. 'Hij is niet alleen... niet alleen.'

'Nee, zij is altijd thuis.'

'Om tien uur kwam zijn zoon. Toen wist ik dat het ging gebeuren. Maar...' haar mond begon te trillen, 'er is geen priester bij geweest. Zonder biecht en vergiffenis, zonder het laatste sacrament... zonder voorspraak. Daarom is 't vreselijk.' Onder het hoesten ging ze staan en fluisterde: 'We moeten bidden.'

'Dat doe je maar in de kerk voor 'm.'

Mevrouw Beijer zonk op haar knieën voor Hanna's bed, steunde haar kin op haar gevouwen handen en begon genade af te smeken.

'Moeder, houd daar mee op. Ga van m'n bed weg, ik wil 't niet horen, ik kan 't niet aanzien, je maakt me misselijk.' Hanna ging zitten en duwde haar hand in het biddende gezicht.

Nadat haar moeder vertrokken was, waren het de bovenburen die haar wakker hielden. Het lukte haar niet opnieuw in slaap te vallen en ten slotte draaide ze zich geërgerd op haar rug, spreidde haar benen en vingerde zichzelf, wat haar vaak tot slaapmiddel had gediend, sinds Coby het haar geleerd had.

IX

Mevrouw Beijer spitste de oren: de voetstappen op de trap zetten zich, nadat de deur was dichtgetrokken, niet eerder voort dan na de klik van de brievenbus in haar eigen voordeur. ‘Er is ’n kaart van boven,’ zei ze opgewonden en stuurde Hanna naar de gang. Ze haalde haar bril van de schoorsteen, ging ermee terug in bed en poetste de glazen met een punt van het laken. Hanna legde het slechts van een naam voorziene poststuk voor haar neer. Zenuwachtig wriemelden haar vingers de enveloppe open en met een ongeduldig rukje trok ze de rouwbrief te voorschijn. Hardop las ze de tekst voor, nam haar bril af, drukte het laken tegen haar ogen, zette de bril weer op en las hem toen in stilte over. Ze kreeg er niet genoeg van, na een kwartier, na een uur, en een paar maal toen Hanna in bed lag, nam ze de brief ter hand. En ook de volgende dag trok ze hem nu en dan stiekem, omdat Hanna haar er om had uitgelachen, onder haar kussen vandaan.

Wat brengt een mens op de been? De een moppert wanneer een tram zo vol is dat hij op een volgende moet wachten terwijl hij voor een loket van de loterij rustig zijn beurt afwacht; een ander staat uren om een glimp van een hoogheid op te vangen maar is te beroerd om met zijn eigen moeder een uurtje uit rijden te gaan. Of hij heeft een bedlegerige vader die bij hem is ingetrokken en de hele dag op zijn kamer blijft, maar ’s avonds als iedereen slaapt, halen zijn brosse benen met gemak de huiskamer en hij vult zijn pijp en zit op tot diep in de nacht.

Op de dag van de begrafenis van haar buurman was mevrouw Beijer om acht uur geheel aangekleed. Van de beige blouse die grotendeels schuilging onder het jasje van haar mantelpak, waren front en kraag opgestreken, haar schoenen glommen en ze droeg een paar nieuwe donkere kousen. Zelf had ze de avond ervoor haar haar gewassen en er Hanna een handvol gemene klitten uit laten kammen.

Als angora bedekte het nu haar schedel. Buiten waaide het gedeelte dat onder haar hoed vandaan stak mee met de oostenwind en het bleef gewillig naar een kant staan toen ze in de beschutting van het bushuisje stonden.

Er mocht betaald zijn voor een rode loper, een koor, een mis van drie heren, beweerd werd toch dat het verdriet dat de overledene naliet geen pijn hoorde te doen en eigenlijk niet bestaan kon. De mensen luisterden bewogen uit wroeging om wat ze hem vroeger hadden aangedaan of juist hadden nagelaten, of ze zaten er uit beleefdheid.

Voor mevrouw Beijer leek het geen verschil te maken wie er begraven werd; devoot zat ze geknield en ze was niet minder geroerd dan bij de uitvaartdienst van een familielid.

Wat kende ze die mensen nou? vroeg Hanna zich af. Mevrouw De Rooy groette alleen wanneer ze zin had, ze voelde zeker een band met die man omdat ie een tijd niet buiten was geweest. Een opluchting dat die kerel niet langer drie meter boven haar sliep.

Als eersten verlieten Hanna en haar moeder de kerk. Zonder weifelen sloeg mevrouw Beijer rechtsaf.

'Wat doe je nou?' vroeg Hanna. 'Moeten we niet naar huis?'

'Ik loop naar de bus.'

'Maar dan moeten we ook die kant op moeder, zo loop je bijna 'n halte.'

'Niet die bus,' zei mevrouw Beijer vastberaden.

'Je gaat me toch niet vertellen dat je van plan bent naar het kerkhof te gaan?'

'Ja, dat ben ik van plan, natuurlijk ben ik dat van plan.'

'Wie heeft daar nou wat aan? Wij niet, die familie niet, het zijn vreemden voor je.'

'Ik ga voor hem. Genade moet moeite kosten, daar ga ik voor, voor hem. En,' vervolgde ze beslist, 'voor je vader en je broertje.'

''t Is veel te slecht weer,' probeerde Hanna.

'Ik ga heus niet voor m'n tijd.'

Deze opmerking deed Hanna de lippen van nijd op elkaar persen. Dat zegt zij, dacht ze, zij die anders elke stap met voorzorg omringt om het lot niet te tarten.

Gedurende de rit en de wandeling van het eindpunt naar de aula hielden ze beiden hun mond. Na afloop van de korte plechtigheid sloten ze, nog steeds zwijgend, de stoet. In het midden ervan werd gefluisterd en gelachen, een vrouw maakte met haar handen krullende gebaren boven haar hoofd.

De mensen drongen aan een zijde van de kuil zodat de gure wind hen tegen de rug blies. De kist stond gedeeltelijk op het uitgegraven zand en voor de rest op het pad. Aan het voeteneind stond de priester, de toog waaide hem om de benen en zijn gezicht en handen zagen rood van de kou. Aangestoken door het gesnik van de weduwe, viel mevrouw Beijer haar bij. Hanna deed haar mond open. 'Houd je in,' zei ze afgebeten. Voor hen ontstond enige consternatie en de vrouw die de anderen aan het lachen had gemaakt, zei: 'Daar ligt ie.' Ze wees naar de bloemen op de kist. 'O, straks zakt ie mee naar beneden.'

Maar de kist werd niet neergelaten en toen de ceremonie beëindigd was, griste ze tussen de kransen en ruikers iets te voorschijn dat meer weghad van een bloemstukje dan van een hoedje dat het bleek te zijn. Ze zette het op en vertelde nogmaals en luid nu, dat ze het in de kerk bij de bloemen had gelegd omdat ze bang was dat zoiets te vrolijk zou zijn om bij een begrafenis te dragen.

Bij het familiegraf las Hanna de inscripties. Jacobus Antonius Beijer. Ronald onze lieve kleine Ronnie. Hij was voor haar niet meer dan het morsige uitbouwtje en een foto van een jongetje dat grijnsde achter het lijmpotje van de kleuterschool. Het moest een hoop geld gekost hebben van moeders kant; daar lagen haar moeder, haar man en haar zoon. Wie was de volgende? Ze konden er alle drie bij, zou Coby er wel in willen? Een wanhopig 'Co... Co...' deed haar opkijken en toen ze haar moeder zag staan, die ene naam lispelend met een verdwaasd gezicht waarover zonder besef tranen stroomden, trok ze haar tegenstribbelend weg.

Het duurde een minuut of tien eer de bus vertrok. Mevrouw Beijer zat, in elkaar gedoken als een schuwe kat, bij het raam. Geen van de huizen, bruggen of plantsoenen ontlokte een reactie. De etalages van warenhuizen, de agenten te paard, een oploopje, de in leer geklede, beschilderde jongens op motoren, niets deed haar nieuwsgierig terugblikken. Onder het laatste eindje lopen, haakte ze haar arm in die van haar dochter en sloeg de vingers om haar mouw.

Hanna hielp haar ontkleden, verwijderde voorzichtig de elastieken die een smalle rode streep boven de knieën achterlieten en rolde de kousen van de magere benen. 'Je bent ijskoud,' zei ze.

Mevrouw Beijer knikkebolde van vermoeidheid, ze maakte aanstalten op te staan.

'Je nachthemd,' zei Hanna en ze liep naar het bed en trok het hemd onder het kussen uit. Het overlijdensbericht gleed mee. Ze aarzelde en schoof het terug. 'Wacht daar even mee,' zei ze toen mevrouw Beijer haar bovenlip optrok en haar hand omhoog bracht. 'Probeer of je kan gaan staan.'

Wankelend liet ze zich het hemd aantrekken en nadat Hanna haar in bed had gestopt, trok ze zelf haar vest aan en vroeg om haar glas en een aspirine.

Met behulp van een slok water slikte ze het tablet weg, haalde het gebit uit haar mond en liet het in het glas neer. 'Haal er nog een,' zei ze.

Hanna knikte in de richting van het glas. 'Ik dacht dat je aan één genoeg had.'

'Ik wil melk, de kou eraf, en nog 'n aspirientje.'

'Je krijgt alweer praatjes.' Hanna liep naar het raam en stak haar hand uit naar het gordijn.

'Nee, ik wil niet alleen...'

'Maakt 't dan uit of 't donker of licht is?'

'Ik wil de mensen zien.'

'Zal ik de vitrage openschuiven? Dan kunnen ze jou ook zien.'

'Ben je gek? Nee... nee... nee. Wat ga je doen?'

'Je melk halen.'

Toen ze na enige minuten terugkeerde vond ze haar nog steeds rechtop in bed. 'Hier is je aspirientje.' Dankbaar nam mevrouw Beijer het kopje aan.

'Het is je eigen schuld,' zei Hanna.

'Misschien is ie nu in de hemel.'

'Iedere seconde gaat er iemand dood, reken maar dat ie nog ergens achter in de rij staat.'

Mevrouw Beijer verstrakte en liet het kopje zakken. 'O wat erg,' zei ze.

'Moet je daarom morsen?'

'Ze gelooft niet in God. Als ie niet zou bestaan zou er niet geleden worden... waren alle priesters, alle gelovigen gek en dat is niet waar. Als ie niet bestond waren er geen mensen. Ze zondigt... ze moet biechten. Waar ga je naar toe?'

'Naar m'n kamer.'

'Is er olie genoeg? Je kan toch hier blijven zitten.'

'Ik heb gisteren gehaald. Moeder, om zes uur zet ik wat te eten voor je neer. Ik ga vanavond naar Coby. Maak je maar geen zorgen, ik ben bijtijds terug.'

'Daar zijn de auto's,' zei mevrouw Beijer.

Even later klonk het geroffel van mensen op de trap. Het eerste halfuur werd er voortdurend heen en weer gelopen, het geroezemoes nam allengs toe en er werd gelachen. De radio ging aan.

'Ze sliep,' zei Hanna.

'Ben je zenuwachtig?' vroeg Coby en verklaarde tegen Dannie: 'Ze krijgt haar vriend op bezoek.'

'Heb je me al verteld.' Bemoedigend knikte hij Hanna toe.

'Ja maar ik vind 't zo leuk,' zei Coby.

'Dat is toch heel normaal.'

'Ik zeg ook niet dat 't niet zo is.'

'Je maakt er iets geheimzinnigs van.'

'Ik ben doodeerlijk, ik zeg 't waar ze bij is.'

'Precies. Op die toon. Ze krijgt er 'n kleur van.'

Loesje ligt in bed, dacht Hanna, koffie is er niet gezet, in de stad is het moeilijk een parkeerplaats te vinden. Waarom zitten ze hier nog steeds?

'Kop op,' zei Coby. 'Als ie vervelend wordt stuur je 'm weg, je moet maar denken: of ie nou mee- of tegenvalt, je bent een ervaring rijker.'

Dannie floot bewonderend. 'Wat een wijsheid,' zei hij. 'Jij zal daar alles wel van weten.'

Op het punt iets te zeggen, draaide Coby met een nijdig rukje haar hoofd. Haar man stond zuchtend op, zette de handen op zijn heupen en trok zijn schouders naar achter. 'Waar wou je ook alweer naar toe? Als 't maar eerste rij is, anders ga ik net zo lief niet.'

'Leuk hoor, leuk,' roepend, verliet Coby de kamer. 'Ga je eindelijk eens samen uit,' hoorde Hanna haar foeteren. Er viel iets met een plof op de vloer. 'Rotjas... vent... gesodemieter... altijd...' Dannie trok bedaard zijn colbert aan, deelde Hanna mee dat het bier in de koelkast stond en gaf haar een knipoog. Zijn vrouw negerend, doch de voordeur openlatend, liep hij het portiek uit.

Coby zoende haar zusje. 'Veel plezier,' zei ze. 'En wees 'n beetje op je gemak.'

Ze rook zoetig. Hanna keek haar hoge rode laarzen na, de jas met luipaardmotief en het donkere haar dat in dikke lokken over de schouders hing.

'En doe wat je hart je ingeeft.' Coby deed het kraagje van haar jasje op en trok de ceintuur strakker om haar middel. Dannie startte en speelde even met het gas.

'Ik moet me inhouden,' zei Coby, 'anders is m'n hele avond verpest. O, laat ik in godsnaam kalm blijven.'

Toen het geluid van de auto wegstierf, liep Hanna naar de slaapkamer. Het bed was niet opgemaakt, er lagen blauwe lakens, een kussen lag voor de helft over het andere en op de plooien van de sprei aan het voeteneind lag een paar haastig uitgetrokken sokken. Ze bekeek de schots en scheef staande schoenen onder het bed. Er was geen nieuw paar bijgekomen. Coby moest nog twee pillen slikken. Het bed rook lekker. Ze liet zich achterover vallen en begon voor zich uit te praten, onderwijl haar lichaam liefkozend. 'Het is...' zei ze, 'het is...' Ze hoorde de adem door haar neus blazen, duwde zich overeind en liep automatisch naar haar zusters kaptafel. Op beide wangen tekende zich een donkerrode vlek. Ze draaide het dopje van een flesje make-up, kneep een lik in het kuiltje van haar hand en smeerde die tipsgewijs uit over haar gezicht. Vroeger had ze met Coby's poederdoos gespeeld. Dat gaf een mal gezicht met donzige snorhaartjes. Ze had 'm op het bed laten vallen toen ze haar knieën wilde poederen. Schuldig had ze met de huls van een lucifersdoosje de poeder verzameld en de lichte plek uit de sprei geklopt. Coby had het gemerkt doordat er pluisjes in de poeder zaten.

Ben ik mooi, zei ze bij zichzelf, of ben ik lelijk, heel lelijk; vergeleken bij het lichaam is het hoofd volgestopt als een krentenbol. Ze rolde met een rond borsteltje haar wimpers wat zwarter, haalde de lippenstift eenmaal heen en weer over haar mond en gaf, onder het over elkaar wrijven van de lippen, ter hoogte van haar oren twee korte spuitjes van een flacon lotion.

Abrupt, als voelde ze zich bespied, stond ze van het krukje op. Misselijkheid krampte in haar buik. Ze moest een biertje nemen en snel opdrinken, als het niet hielp deed ze niet open wanneer de bel ging. Ik doe het licht uit, dacht ze, zodat ie denkt dat er niemand thuis is.

En dan? Tot ze alleen aan het raam zat; geen mens in huis, geen man, geen kind, geen andere herinnering dan te weten altijd geborgen te zijn geweest om dan, slechts de stoep als wereld gadeslaand, met alleen de zorg om haar eigen lijf, te eindigen? Met een snel gebaar wipte ze de kroonkurk van de fles. Ze zou hem binnenlaten, hij mocht haar bedriegen, lui zijn, alles beter dan niets. Ze zette de televisie aan en wachtte. Auto's reden over bruggen, gingen piepend door de bocht. Bedrijvigheid in een politiebureau, een man nam de telefoon op, voor een groot wit huis zei iemand: daar staat z'n auto, en werd vervolgens in mekaar geslagen.

Toen de bel ging, draaide ze aan de volumeknop, schakelde over op het andere net en, bij het zien van vier rond een tafel gezeten mensen, direct weer terug. Ze kreeg het benauwd, ging zitten en veerde weer op. Zonder iemand te kennen? dacht ze. Zonder ooit zelfs gezoend te zijn? Nee, dat mag niet, dat wil ik niet. En eindelijk liep ze naar de voordeur.

'Ik dacht al dat ik verkeerd was en dat je me zomaar 'n adres had opgegeven. Je was toch niet vergeten dat ik kwam?' vroeg Adje en toen, harder: 'Ze dacht zeker dat ik 't vergeten was. Nee? Dat is lief van je. Gaan we niet naar binnen?'

'Wil je je jasje niet uitdoen?' vroeg Hanna.

'Voor ik dat doe,' antwoordde hij en trok de rits omlaag, 'moet er heel wat gebeuren. Ik woon erin als in 'n paar schoenen.'

'Daar ga je niet mee slapen.'

'Heel goed van je pop, heel gevat. Dan trek ik 't ook uit. Nou ken je al 'n geheim van me.'

Hij ging haar voor, keek de kamer rond en plofte, ondertussen de fles bier van tafel pakkend, op de bank neer. 'O pardon, die is niet van mij,' zei hij.

'Wil je er een?'

'Als dat zou kunnen, graag alsjeblieft.'

Toen ze weer binnenkwam beduidde hij met zijn hand dat ze naast hem moest komen zitten maar vlak voor ze, haar rok onder haar dijen gladhoudend, zat, vroeg hij om een glas.

'O, ik dacht... je dronk toen uit de fles.'

'Ik vertrouw daar alleen de drank.'

Ze hoorde hem luid zuchten toen ze de klep van het wandmeubel neertrok. Verveelde hij zich nu al? Was hij gepikeerd? Ze zette twee glazen op het tafeltje en onverwachts trok hij haar omlaag zodat ze schuin over hem heen viel.

'Je spant je spieren, je bent bang. Waarom?'

'Ik ben niet bang.'

'Kijk me aan en niet alleen je hoofd draaien, doe je handen van mekaar.'

Zijn arm gleed onder haar oksel en drukte haar tegen zich aan, zijn andere hand ondersteunde haar hoofd. Ze voelde zijn tanden op haar lippen en dan zijn tong, roerend als een dikke vinger. De bittere smaak van sigaretten die langzamerhand ook de hare werd, was dat alles? Het geluid van de televisie drong tot haar door: 'Aber Herr Schöner... Herr Schöner', en ze sloot haar ogen.

Toen hij haar losliet voelden haar mondhoeken verdoofd. Terwijl hij zijn bier uitschonk, haalde ze vluchtig een hand langs haar mond. In één keer dronk hij zijn glas leeg. 'En haal er nog een, ik heb er dorst van gekregen,' zei hij, begon te grinniken en maakte een breed, uitnodigend gebaar. 'Kijk niet zo teleurgesteld kind, kom, we doen 't nog 'n keertje over.'

Ik wil alleen zijn, dacht ze. Hij moet weg, ik wil deze ervaring niet. Ik wil en hoef niets meer te weten.

Adje hurkte voor haar neer, legde zijn hand op haar knie en schoof hem onder haar rok. 'Nee,' zei ze.

'Wat nee? Kleine onnozele... ik geloof er niks van.'

Hij duwde zijn duim tussen haar benen. 'Doe ze eens van mekaar, ik heb 't koud.'

'Nee.'

'Vooruit.' Hij werd ongeduldig en begon haar te knijpen.

'Je doet me pijn.'

Hij kneep harder in haar vel en draaide het tussen zijn vingers. Ze slaakte een kreet en sloeg met haar vlakke hand op zijn schedel.

'Wat jij?' Hij sprong op, greep haar polsen, duwde ze naast haar schouders en ging met aan weerskanten een knie, tegen haar buik zitten. 'Wie is er nu de baas hè, stomme troel?'

Ze wendde haar gezicht af. Straks moest ze genade zeggen. Schoft.

Klein kind.

Hij leek zwaarder en zwaarder te worden, kon haar blaas knappen? Zou ze door haar kleren durven plassen?

'Je moet 't zeggen,' zei hij, zijn heupen op en neer wippend. 'Wie?'

'Jij,' gaf ze benepen toe.

'O,' zei hij en triomfantelijk ging hij staan, zette de televisie uit en liet zich languit op de bank vallen. Toen ze op het punt stond de kamer te verlaten, zuchtte hij en zei zonder op te zien: 'Het had zo mooi kunnen zijn.'

'Ja.' Het klonk meer als een vraag.

'En worden,' zei hij op treurige toon.

In de keuken verborg ze haar gezicht in haar handen. De gebeurtenissen raasden door haar hoofd. En dan het verlangen naar deze avond en opnieuw en hopelozer de mislukking. De voordeur schrikte haar op. Thuis, ze had hem gewoon thuis moeten laten komen, in haar eigen kamer. Nu zag ie Coby. Ze snoot haar neus in een handdoek, waste haar handen en keek in het scheerspiegeltje naast de geiser. Nog steeds waren er de blozende plekken op haar wangen en ook haar lippen zagen donker. Ze wreef er haar wijsvinger over, ze gaven niet af.

'Je bent vroeg terug,' begroette ze haar zuster.

'Je kon toch niet blijven slapen?'

'Nee, ik ga ook zo weg,' zei Hanna terwijl ze naar de bank liep. In het midden van de twee resterende plaatsen ging ze zitten.

'Ze is niet wakker geworden hè?' vroeg Coby en na Hanna's korte bevestiging begon ze een chaotisch verslag over de film die ze gezien had. En toen, en dit en dat en toen... soms had ze echt genoten. 'Die man z'n monogram zat in de sprei van z'n bed, z'n kamerjas, z'n spiegel en borstel zelfs,' zei ze en met een nuffig boogje bracht ze de sigaret naar haar mond en zoog er lang en verrukt aan.

Steelsgewijs keek Hanna van de een naar de ander. Adje zat er ontspannen bij, hij rookte ook en leek geamuseerd en Coby praatte tegen hem of ze hem al jaren kende. 'Ik ga naar huis,' zei ze.

'Wacht even tot Dannie er is, hij is saté halen. Jij nog 'n biertje?' vroeg ze aan Adje.

Meer links gaan zitten zou haar aanwezigheid zielig maken, ze voelde zich al overbodig, en dichter bij Adje schuiven was zeker zo pijnlijk, bespottelijk zelfs. In de keuken was getik van flessen, een kast werd opengetrokken en weer gesloten, een zak kraakte. Adje duwde zijn sigaret uit tot een olifantspootje, hij schopte zijn voet op en neer alsof hij muziek hoorde en stopte daarmee toen Coby terugkwam. 'Hanna, wil jij nog wat eigenlijk?' vroeg ze.

'Ik hoef niet meer.'

'Hier, neem voorlopig wat van hem.'

'Ik wil ook niet meer,' zei ze en gaapte gedwongen.

Verleidelijk de benen over elkaar geslagen, nipte Coby van haar sherry en na ieder slokje hield ze het glas omvat op haar knie. Ze richtte opnieuw het woord tot Adje. Had ze hem niet eens daar of daar gezien?

Hanna deed een greep in de schaal zoutjes. Ze schrok van het harde, krakende geluid toen ze er haar tanden in zette maar geen van beiden reageerde, Coby lachte zelfs bekoorlijk naar hem, en ze kauwde langer dan nodig was.

'Daar is m'n man,' zei Coby. Ze plaatste haar benen naast elkaar en leunde haar ellebogen op haar knieën alsof ze zich plotseling het bloot van haar dijen bewust was. Ze stelde de mannen aan elkaar voor. Zij, dacht Hanna, zij doet dat.

Dannie trok voorzichtig het pakpapier los, likte de saus ervan af en verdeelde de porties. Ieder twee, voor zichzelf een extra.

'Gierigaard,' zei Coby.

'Jij moet aan je lijn denken. Ik heb er al twee op.'

'Ah, wat gemeen.'

'Ik heb de hele avond voor jou naar een kutfilm moeten kijken,' zei hij, legde het stokje neer en spreidde zijn armen. 'Die,' knikte hij naar rechts, 'is zij en die ander is hij.' Langzaam bracht hij zijn handen naar elkaar, hield ze op enige centimeters stil, trilde met zijn vingertoppen en schoot in de lach. 'Nu lach je,' zei hij en wees met zijn dikke vinger naar Coby, 'maar toen niet. Er is genoeg saus voor 'n boterham, maar denk aan je kwabbels.'

Hanna begon te giechelen. 'Ze moet naar huis,' zei Coby.

'Hoe ben jij?' vroeg Dannie aan Adje.

'Hij is lopend,' zei Coby.

'Dan neem je 'n taxi, pik,' zei Dannie en met een zucht ging hij staan. 'Ik breng haar wel.'

Bedaard, zijn hand losjes om haar arm, voerde hij zijn schoonzusje naar de auto. Hij duwde het kussentje in de juiste positie achter zijn rug en zette de radio aan. Hanna's gegiechel hield op, maar voor kort. Wat moest hij zeggen? Hanna, laat alles je een rotzorg wezen? Ook dan zou ze gaan grienen. Hij floot het oude melodietje van een nieuwe carnavalsschlager mee. Straks voor de deur zou hij haar welterusten wensen, onderwijl het gas pompend. En tenslotte: de chauffeur kijkt naar buiten en meestal vooruit.

X

Druilerig overzag Coby de lege glazen en flessen, aangekoekte aluminiumbakjes en vuile asbakken op de salontafel. Ze voelde zich opgewekt en energiek maar niet om op te ruimen. Morgen maar, besloot ze, ze zou iets uit haar handen laten vallen. Nu te dansen en te drinken. De fles sherry was leeg, de laatste druppel viel van de hals. Het was bij tweeën. Half acht op, dacht ze, Loesje moest naar school. Eerst een boterham met jam en 'nee lieverd' geen korstjes eraan. En dan naar mevrouw Tirion die weer wat kwijt was en iedereen in haar omgeving ervan verdacht. Ze zat een moment roerloos en stond toen op, de voeten naar buiten zettend om haar evenwicht te bewaren. Met opwindende muziek in haar hoofd heupwiegde ze naar de slaapkamer en voor de spiegel aan de binnenzijde van de kastdeur kleedde ze zich uit. Rumba, samba, een neger als slagwerker, chachacha. Ze deinde en kronkelde, de laarzen nog aan, de zwarte panty's op de heup gerold. Ruby Coby, ze kon het nog best. Ze kleedde zich verder uit. Had ze weer last van vloed? Pingpong-effect, had de dokter gezegd. Dannie vertikte het zijn lul in een kopje te hangen.

Walsen, zoals in de film, draaien en draaien. Ze strekte haar benen. Zo was haar buik veel minder slap en op haar rug gelegen was hij zelfs glad en strak als van een jong meisje. Coby, het slangenmens; Ruby Coby; Coby goes dutch, met Volendammer mutsje op en in een wijde maar diep uitgesneden, zwarte jurk, van hoempapa naar opzwepender muziek, onderrokken en jurk uit, glitters om haar navel en op het driehoekje aan een koordje tussen haar benen. De benen op, links, rechts, achteruitlopen, af, licht uit. O ja, ze kon het nog. Ze moest haar oude werkgever eens opzoeken, nam ze zich voor. En alle keren eerder dat ze dat besloten had vergetend, draaide ze zich op haar zij.

Draaien, walsen weer, als de vrouw in de lichte baljurk. Maar toen ze haar zware oogleden opensloeg, bedacht ze dat ze liever Raquel Welch was en niet zo'n tut hola.

XI

De eerste maand van het jaar verging als het daglicht dat zich in de straat grauw en ternauwernood afspiegelde. Veel mistregen, afgewisseld door een kletterende bui of hagel, 's avonds ijzel, 's morgens plassen, laat werd het dag en voor de middag om was, werd het donker.

Op de schoorsteen in de voorkamer bleef het lampje de gehele dag ontstoken, net voldoende licht gevend om mevrouw Beijer de kamer vertrouwd te doen zijn en Hanna, in de stoel tussen haar moeders bed en de kachel, in staat te stellen zich over de krant of een van Coby's tijdschriften te buigen. Ze las iedere pagina maar de inhoud gleed voorbij als een onbemand schip, geen leed of nieuws zette haar aan tot denken, geen grap of roddel ontlokte vrolijkheid, regel na regel kaatste terug in het papier. Plichtmatig brak ze, eens in de twee dagen, een halfuurtje uit om boodschappen te doen en mevrouw Beijer bepaalde wat er gehaald moest worden. Nadenkend keek ze dan voor zich uit en tuitte haar lippen alsof ze een keur van fijne gerechten voor zich zag. Na het noemen van een of twee spijzen, vroeg ze gewoontegetrouw of de suiker, de thee, het wasmiddel, of... en dan noemde ze nog enige zaken, niet op waren, maar voor ze het rijtje had opgesomd was Hanna verdwenen.

Een schraal maal is snel gegeten maar Hanna at traag, sneed alles aan stukjes en prikte er treuzelig kiezend met haar vork naar. Het maakte geen verschil of er vlees of vis bij zat, of er iets halfgaar of aangebrand was, ze at. Op de aanmerkingen van haar moeder reageerde ze niet of, wanneer ze aanhielden, met de vinnigheid van iemand die door een grove leugen is beledigd.

Mevrouw Beijer trachtte zich in te houden, wat haar slecht verging, ten einde het weinige voedsel dat ze naar binnen kreeg niet door de droge hoestbui, die haar telkens overviel wanneer ze zich opwond, uit te spuwen. Klakkeloos en zonder uitleg las Hanna de krant voor, wat er aan het begin gestaan had wist ze niet meer als haar moeder wie of waarom vroeg. Geregeld liet het eten te wensen over en dat terwijl ze vroeger al kokhalsde van kruimels in de boter. Ze bemerkte zelfs niet dat de melk, die in dit jaargetijde gedurende een hele week niet verzuurde, een dag na opening al de gronderige lucht van de keuken had aangenomen.

Stormen teisterden het land, bomen ontwortelden en knakten als korenaren, een half gerestaureerde gevel viel met stellage en al over een route van het openbaar vervoer, paraplu's werden uit model gerukt, op bruggen moest men zich vastgrijpen, statistieken over windkracht stonden op de voorpagina. Op bovenverdiepingen was men bang voor lekkage omdat de pannen van het dak woeien en op straat vreesde men dat diezelfde pannen op het hoofd zouden neerkomen. Het volgende voorval bracht de gemoederen in de straat echter meer in opwinding dan de grillen van het klimaat.

Om elf uur stopte aan de overkant een ambulance en nieuwsgierig duwde mevrouw Beijer zich op de ellebogen omhoog.

De deur die toegang gaf tot de bovenverdiepingen stond open en een van de ziekenbroeders ging naar binnen. Binnen korte tijd verzamelde zich een kleine meute die naar binnen loerde en naar boven keek. Het merendeel bestond uit vrouwen. Met een haastig aangetrokken jas of kleumend in een vest, stonden ze gedempt te praten.

'Wie is er ziek?' vroeg mevrouw Beijer.

'We zullen wel zien wie er naar buiten wordt gedragen,' zei Hanna.

'Welnee,' wierp mevrouw Beijer tegen. 'Ze pakken je helemaal in, je hoofd erbij.'

De ziekenbroeder wenkte zijn collega en de man stapte uit en opende de achterdeuren van de wagen. Een van de vrouwen vroeg iets maar hij maakte een verveeld gebaar en ging het huis binnen.

'Ik ga niet naar het ziekenhuis, beloof dat je me daar nooit naar toe laat brengen,' zei mevrouw Beijer. 'Als ik uche uche wil ik hier...'

‘Als je niet ophoudt, vraag ik of ze je meenemen,’ zei Hanna.

De mannen van de GGD kwamen naar buiten, de toeschouwers deden een stap achteruit. Onder het bruine zeil was tot de helft een vorm te onderscheiden en zonder enige krachtsinspanning werd de brancard in de ambulance geschoven. Hanna hernam haar plaats bij de kachel en staarde naar de hoek van de schoorsteen waar een naad in het zwarte marmer zich grijs en stoffig splitste langs twee brokstukken.

‘Wie was ’t?’ vroeg haar moeder.

‘Het jongetje,’ antwoordde ze.

‘Ach,’ zei mevrouw Beijer en ze vroeg zich hardop af wat er dan wel mis kon zijn.

In de slagerswinkel was het drukker dan normaal. De klanten bleven langer staan, met hun rug naar de toonbank toegekeerd bleven ze nog aan de praat. Meermalen kwam de slagersvrouw in de verleiding de worsten enige grammen krapper dan het ons te snijden: er was nauwelijks oog voor de weegschaal, maar nee, ze kon het niet doen over de rug van het kind; hoewel, meer omzet was er niet en de verdiensten waren zo laag als de tijden zwaar. Onderwijl nam ze vol vuur deel aan de gesprekken en tegen een gehaaste mevrouw die, omdat ze ’s morgens in een warenhuis werkte, nog niets weten kon, begon ze uit zichzelf het verhaal: ‘Het jongetje, dat van die blonde met haar pedicure, is vanmorgen met de ziekenauto gehaald. Ja mevrouw, niemand kan zich z’n gezicht herinneren want je zag ’m nooit, ze nam ’m niet eens mee naar buiten. De mensen boven hadden ’m al bijna twee dagen niet gehoord terwijl ze zeker wisten dat zij dat kind niet had meegenomen. Ze hadden haar ’s avonds weg zien gaan met ’n taxi, helemaal opgedoft, zoals ze er altijd bij loopt, alsof ze iedere dag ’n bal heeft. Hij was al drie weken niet thuis geweest. En toen bleef het de volgende dag stil en de tweede dag zijn ze ’s morgens maar eens beneden gaan kijken.’ Ze pauzeerde even en voor een van de anderen het verhaal af kon maken, vervolgde ze:

'Enfin, nog geen kwartier later hebben ze 'm gehaald. Hij lag in 'n bedje met alleen maar dekens, geen lakens. Nee, hij was niet dood, nog niet. U raadt nooit wat ze iedere dag deden, 't is verschrikkelijk, ze gooiden gewoon 'n pak Liga in z'n bed en dan moest ie zelf maar zien als ie honger had. Z'n bed was vol kruimels en op de vloer lagen wel dertig lege pakken.'

De klanten bemoeiden zich ermee en praatten door elkaar heen.

'Ze zullen 'm toch wel eens verschoond hebben?'

'Wel eens... 't leek wel 'n pisbak.'

'Roken ze dat boven niet?'

'Er stond 'n raam open.'

'Dat is toch veel te koud.'

'Waar is zij nu?'

'Die moesten ze in de gevangenis zetten.'

'Ik vraag me af waar ze uithangt.'

'Op water en brood moeten ze der zetten. Dat kind gaat natuurlijk naar 'n tehuis.'

'Als ie niet doodgaat.'

Iemand herinnerde zich een soortgelijk geval van verwaarlozing. Dat daar ooit schande van was gesproken werd overgeslagen. Nee, nu toonde men er alle begrip voor, dat was zo'n ander geval. Dat vrouwtje was niet helemaal normaal, hebben ze toen ook opgenomen, die had geen kerels op bezoek, bijna al haar haren waren uitgevallen.

'Heeft u 't vanmorgen gezien, juffrouw Beijer?' vroeg de slagersvrouw.

'Ja,' antwoordde Hanna en meteen deed ze haar bestelling.

'Alles goed met uw moeder?'

Ze knikte en betaalde, groette beleefd en liep tussen de vrouwen door de winkel uit. Nu zouden ze over haar praten, en moeder. Die kwam tenslotte ook nooit buiten. En als er een wegging, kwam de volgende binnen en begonnen ze opnieuw over dat jongetje, elkaar aanvullend met verwijtende en meelijwekkende opmerkingen. Vrouwen die vinden dat hun hart groter is omdat het een moederhart is, dacht ze. Maar het is klein, ze geven niets om andere mensen, niets hebben ze voor dat jongetje gedaan.

Ze trapte de deur achter zich dicht en bemerkte dat ze met haar andere voet op papier stond. Twee poststukken lagen er, beide aan haar gericht.

'Heb je er nog wat over gehoord?' was het eerste dat mevrouw Beijer vroeg.

'Z'n moeder is weggelopen,' zei ze en legde een van de opengescheurde enveloppen, met het velletje papier er dwars in, op haar schoot.

'Wat is dit, is 't voor mij? Je hebt 't opengemaakt.'

'Zet je bril maar op, je moet betalen.'

'Waarvoor?' Ze hield de rekening voor haar ogen en las: 'Tien gulden, extractie...'

'Voor die kies die ik niet meer heb.'

'Heb je daar dan niet voor betaald?' vroeg ze verbaasd.

'Ik had niet genoeg geld bij me, dat weet je toch.'

'Ik heb je toch zeker geld meegegeven.'

'Ja,' zuchtte Hanna, 'vijfentwintig gulden.'

'Vijfentwintig? En dan nog eens 'n tientje? Zijn ze helemaal gek, vijfendertig gulden voor even trekken, vijf en... nee, dat ga ik niet betalen.'

'Je hoeft nog maar 'n tientje te betalen.'

'Alsof dat niks is. Wat zit je te lezen? Heb je post? Mmmm, wat mmmm, wat staat erin?'

Ze keek alsof ze haar moeder de keel wilde toebinden en mevrouw Beijer hield haar mond en liet haar hoofd in het kussen zakken.

De mededeling over de volgende te houden feestavond in het patronaatsgebouw was gedrukt in grove letters die hier en daar een pootje misten en naar het eind toe vervaagden. Aan de randen was het eenvoudige drukwerk versierd door onhandige tekeningetjes van toeters en maskers; een ervan kon zowel een handschoen, een muts,

als een stuk vuurwerk beduiden.
'Het smaakt me niet.' Mevrouw Beijer keek misprijzend op haar bord. 'Neem jij...'

'Nee.'

'Jij hebt 't al bijna op.'

'In je mond stoppen en doorslikken.'

'Er zitten vieze draadjes in, het smaakt naar wormen.'

'Toch opeten.'

'Hondenvoer,' zei mevrouw Beijer met volle mond.

'Blinde vinken.'

'Ik krijg 't niet weg,' klonk het gesmoord.

'Wie praat eet niet,' beet Hanna haar toe.

'Ik stik.'

In twee passen stond Hanna naast het bed. Ze wees dreigend naar de van voedsel bolstaande wang: 'Slikken.'

De wang verslapte, de prop werd onder een kauwende beweging naar de andere wang geschoven en terug naar het midden. Mevrouw Beijer opende haar mond op een kier om wat te zeggen en stulpte toen haar lippen. Hanna duwde het bord onder haar kin. 'Spuug maar.'

Toen haar moeder aansluitend begon te hoesten, trok ze het bord weg en, het voor zich uit houdend, liep ze naar de keuken, opende de vuilnisemmer en liet het erin vallen. Ze bracht de emmer naar buiten en plaatste hem achter de zakken en dozen die mevrouw De Rooy al had neergezet.

'Heb je m'n eten weggegooid?' vroeg mevrouw Beijer.

'Alles.'

'Maar misschien had ik over 'n uurtje nog wat gewild.'

'Leugenaar. Nou komt uit dat je het niet vies vond.'

'Wel waar, maar het is zonde.'

'Aanstelster,' zei Hanna minachtend.

'Dat kan je makkelijk zeggen als je gezond bent, leugenaar en aanstelster zeggen tegen je moeder. Je brengt niet eens wat in, ik betaal alles.'

'Ik zal direct 'n baantje zoeken.' Ze pakte de krant, sloeg hem open, klapte tegen de achterkant en begon hardop te lezen. 'Gevraagd nette meisjes in groente- en levensmiddelenzaak vanaf zeventien jaar, netto honderdvijftig per week. Telefoon... daar zal ik 'n kruisje bij zetten. De Gruyter vraagt voor haar supermarkt caissières. En etiketteuses voor de slagerij. Haar taak zal zijn het inpakken en beprijzen van het vlees. Opleiding ter plaatse. Leeftijd tot achttien jaar. Daar ben ik dus net te oud voor...' Ze hoorde haar moeder protesteren maar las rustig verder. 'Aha, wat dacht je hiervan? Gevraagd net meisje van begin april tot eind oktober, intern, voor leuk en afwisselend werk. Vakantiepension Bleertshoeve, Oisterwijk. Dan stuur ik je iedere maand wel wat geld.'

'Nee, je gaat niet werken, leg die krant weg,' smeekte mevrouw Beijer.

'Zoekt op korte termijn voor het verzorgingstehuis bejaardenverzorgsters. Geen haar op m'n hoofd, dan kan ik net zo goed thuisblijven.'

Ze ging schrijlings aan het raam zitten en verborg haar gezicht achter een pagina van de krant. Een onbekende man stond de dozen van mevrouw De Rooy leeg te halen. Elk kledingstuk hing hij keurend voor zich uit en wanneer het hem beviel vouwde hij het op en legde het op de vuilnisemmer. Pantalons, jasjes, overhemden, een kamerjas; hij begon een tweede, goedgekeurde stapel naast zijn voeten aan te leggen. Ondergoed werd op de tast al terzijde gelegd, een pyjamajasje keurde hij twee blikken waardig, de broek die even later volgde bekeek hij niet eens. Hij trok een hoed te voorschijn, klopte hem tegen zijn dij, duwde met de zijkant van zijn hand de gleuf in vorm en zette hem op. Ze had meneer De Rooy nog nooit een hoed zien dragen.

'Kun je meer licht aandoen?' vroeg mevrouw Beijer.

De man opende een van de vuilniszakken, deed zijn handschoenen aan en wroette erin rond. Na alle zakken geïnspecteerd te hebben, vulde hij twee dozen met kleren, zette ze op de bagagedrager van zijn fiets en, ze met zijn hand tegenhoudend, liep hij voetje voor voetje weg.

Terwijl Hanna de gordijnen sloot, hoorde ze van een meter of tien verderop een doffe klap.

'Ik heb je wel vier keer gevraagd het licht aan te doen.'

'Dan heb je me vier keer te veel gestoord onder het lezen.'

'Je hebt helemaal niet zitten lezen, 't was te donker. En bovendien had je 'm al gelezen.'

'Al lees ik 'm twintig keer, dan nog hoor je me niet lastig te vallen. Ik ga naar m'n kamer.'

'Nu al? Zo vroeg? Blijf nog even hier.'

'Alsof in huis zijn niet genoeg is, ik slaap praktisch tegen je hoofd aan.'

'Ik wou…'

''n Boterham zeker.'

'Nee… ik wil zeggen dat ik je niet lastig wil vallen. Maar je luistert niet meer naar me of je doet lelijk. Wekenlang zeg je haast niks, scheld je me uit en laat me de hele avond alleen zitten. Jarenlang hebben we 't samen toch gezellig…'

Ik ga weg, dacht Hanna. Ze eindigt altijd met zielig en spijtig doen als zeuren niet helpt. Ik zou haar kunnen slaan. Zoals ze nu, op het punt in huilen uit te barsten, naar haar opkeek, de uitgebluste ogen half verscholen achter de slappe oogleden, de mond onbeheerst bewegend. Nee, ik mag haar niet slaan. Sinds vaders dood was ze jaren ouder geworden. Verdriet maakte gek en gaf een lang sterfbed.

Ze drukte een zoen op haar moeders voorhoofd. Het rook naar muizen. 'Zal ik morgen je haar wassen?'

Mevrouw Beijer knikte en als een tevreden kat bewoog ze haar nagels over de deken.

'En je moet meer gaan eten, je moet aankomen. Dan gaan we wat wandelen in 't park.' Verder ging ze niet, het medelijden was al weer over. Ze zag ongeloof in de glimlach waarmee haar moeder reageerde en dat stemde haar tevreden.

'Vroeger zag ik m'n zusje Theresia voor me, in m'n eigen bed, met aan weerskanten een kaars. Ze lag niet altijd in bed, soms liep ze met me mee, dat weet ik zeker want je loopt heel anders wanneer je alleen bent.'

'Ja,' zei Hanna toegeeflijk. Het eind van het bezoekuur, dacht ze. De patiënt mag zeggen wat ie wil en heeft altijd gelijk.

'God kan vreemde dingen doen. Hij heeft me wel eens in de steek gelaten en dan komt het slechte... Luister, het is begonnen... Er was een man die over de stoep zwalkte. Ik had 'm tegen kunnen houden maar ik... toen ie overstak was er een vrachtwagen. De chauffeur kwam naar mij... naar mij, om te zeggen dat ie gedronken had en dood was. Ik had 'm kunnen tegenhouden, ik heb z'n gezicht niet gezien...'

'Dat is jouw schuld niet wanneer iemand in zijn dronkenschap zomaar plotseling oversteekt. Wees blij dat die man gelijk dood was.'

'Je begrijpt 't niet, 't was toen... 't was als met je vader.'

'Kom nou, die is niet overreden. Haal niet van zulke dingen in je hoofd.' Ze gaf haar moeder een tikje tegen de schouder en deed tegelijkertijd een stap achteruit.

'God was er niet en toen begon 't. Dat ongeluk bracht me op 't idee: 'n dronken man in z'n slaap... Niemand verdenkt een moeder.'

Haar dochter luisterde al niet meer, zei 'Welterusten' en verliet de kamer.

Mevrouw Beijer kroop over het bed naar de schoorsteen, schoof het lampje dichter naar de hoek en griste de rozenkrans van het missaal. Intens begon ze te bidden maar iedere volgende weesgegroet viel het haar moeilijker. Haar duim en wijsvinger volgden het kettinkje en knepen om een kraal. 'Onze vader...' Naast zich hoorde ze ademen. 'Onze vader die in de hemel zijt, uw naam wordt geheiligd, uw wil uw wil... God straf me niet als ik bid.' Ze opende haar ogen en het ademen hield op. Toen ze de rozenkrans gebeden had, deed ze hem om haar hals. Nog durfde ze haar ogen niet te sluiten.

XII

Hanna knoopte haar jas dicht en zette de capuchon op. Bij links twee flikkerde de televisie, had ze hier al zo lang gestaan? Ze luisterde: mevrouw De Rooy stond nog niet aan, dan was het geen journaal. Ze moest in beweging blijven, warmer worden, dan het kacheltje aandoen, rondjes lopen door de kamer was niet genoeg.

Ze zwaaide haar armen van voor naar achter, voor zich uit kijkend naar het bovenste gedeelte van het raam van parterre rechts dat ze in de laatste jaren met enige centimeters had zien toenemen. Een kaasblokje op de schutting. Er bewoog iets rechts onder in de hoek, ze ging op haar tenen staan. Het was een hoofd, een man die meer dan twee meter moest zijn. Ze opende de deuren, liep het plaatsje over, hees zich aan de schutting en keek vol verbijstering naar een man die, slechts in een trui gekleed, op tafel stond. Toen haar armen het niet langer hielden liet ze zich met suizende oren zakken. Ze dronk twee koppen water en ging op bed liggen. Het was waar wat Coby zei, kerels werden overal geil van, of er nu wel of niet een vrouw was en of die nou wel of niet haar kleren aanhad, ze hoefden niet eens ergens aan te denken, hun pik leidde een eigen leven. En toch, dacht ze, o, toch nu die handen te voelen, die mond, het hart dat tegen haar borst klopte, die onbekende geur.

Midden in de nacht werd ze wakker van iets ongewoons. Er was gebeld, het moest een droom zijn, ze wachtte en hoorde haar naam door de gang roepen.

Toen ze de voordeur opendeed, botste Coby tegen haar op.

'Dicht dicht gauw,' zei Coby en liep vloekend de gang in.

'Stil 'n beetje, straks komt moeder haar bed uit.' Hanna knipte het licht in haar kamer aan en sloot behoedzaam de deur. Coby's gezicht zag vlekkerig van opwinding en uitgelopen make-up, haar ogen waren opgezwollen, haar haren verward, en ze droeg een regenjas waar een zak van loshing.

'Ik kom bij je slapen.'

'Is er wat gebeurd?'

'Dacht je dat ik zomaar even aankwam voor de gezelligheid?' Coby liet haar tasje op de grond vallen en knoopte haar jas los. ''t Is hier ijskoud, kan je de kachel niet aandoen? Laat maar, ik wil slapen,' zei ze en zeeg neer op het bed. 'Waarom zie je er zo gek uit?'

'Gek?' Hanna deed haar capuchon af.

'Waarom heb je dan je jas aan?'

'Vergeten uit te doen.'

'Vergeten?' Ze begon onbedaarlijk te lachen.

'Hou op.'

Coby verborg haar gezicht tussen haar knieën en kwam schaterend overeind.

'Hou onmiddellijk op, ga anders in de keuken zitten,' zei Hanna en toen snelde ze zelf naar de keuken en keerde terug met een kopje water. Proestend sproeide Coby de eerste slok uit.

'Je bent stomdronken.'

'Nou en? Buiten regent het ook.'

'Het regent niet, ssst, drink nou wat.'

'Je hebt gelijk,' Coby voelde aan haar jas, ''t regent niet.' Verbaasd keek ze naar de losgescheurde zak. 'Blijven hangen aan die stomme leuning van dat stomme rotportiek.'

'Ssst, ssst, nou is ze wakker, ze komt haar bed uit, o jezus.'

'Laat 'r maar eens lopen, dat is heel goed,' zei Coby. Ze wankelde naar de deur en trok hem open. 'Moeder? Kom er gezellig bij.'

Mevrouw Beijer schuifelde langs de kapstok en met haar hand tegen de deurpost leunend, keek ze Coby sprakeloos aan.

'We wilden net naar bed gaan. Hoe is 't ermee? Heb ik je wakker gemaakt? Nou, dat spijt me dan, ik zal je wel even terugbrengen, geef me 'n arm.' Ze pakte haar moeders hand en trok haar mee de gang in.

'En nou allemaal slapen, morgen zien we wel verder,' hoorde Hanna haar met een dikke tong zeggen. 'Je ene been erin, nu je andere, de dekentjes erover. Nou zal ik je eens... 'n kruisje op je voorhoofd geven. Zo, welterusten.'

'Ik wil op m'n eigen plaats liggen,' zei ze tegen Hanna.

Ze haalde het korte jurkje over haar hoofd, viel bijna om, vloekte en kroop in bed. 'Koud koud, wat 'n ellendebed.' Ze blies een lucht van drank in Hanna's gezicht.

'Coby, waarom ben je weggelopen?'

'Jullie weten er allemaal niets van. Ik wil slapen.'

Even later draaide Coby zich met een ruk op haar rug. 'Hij gaat me vermoorden,' riep ze in paniek. 'Hij gaat me echt vermoorden.'

Hanna legde haar hand op Coby's schouder. Als die iets in haar kop haalde. Ze wilde roken, ze rookte. Drinken, ze dronk. Hele zondagen zat ze vroeger achter een bord pap die ze weigerde op te eten. Ze wilde ontmaagd worden, binnen een week was het gebeurd. Ze verwenste vader, hij ging dood. Ze wilde het huis uit, ze ging.

'Laat los, ik moet weg. Het eerste wat ie zal doen is hierheen komen. Ik ben stom, ik moet weg, hij vermoordt me.'

'Niemand vermoordt je, blijf liggen.'

'Dannie vermoordt me, Dannie wel.'

'Ik weet zeker van niet, ga nou slapen, wacht tot morgen.'

'Omdat ik met 'n ander plat ben geweest. Hem slaat ie eerst kapot en dan gaat ie mij zoeken, als 'n beul rijdt ie door de stad, hij is helemaal blind.'

Hanna voelde het bloed naar haar hoofd stijgen.

'Die gozer kan de pokken krijgen, voor mijn part slaat ie 'm dood maar dan ben ik toch aan de beurt. O, hij komt hierheen, ik zie 'm al de straat in rijden.'

'Dan is 't te laat.'

'Ik verstop me op het plaatsje.'

'Dan zeg ik waar je zit.'

'Huh?'

'Je bent met Adje naar bed geweest.'

'Met wie?'

'Toen ik bij je wegging,' ging ze gejaagd verder, 'zag ik 'm 'n sigaret opsteken omdat ie bij je bleef. Dannie is naar 'n café gegaan nadat ie mij had weggebracht en toen zijn jullie met mekaar... ik wist 't wel. Jij zat met 'm te slijmen, hij keek naar je benen, vuile hoer. En toen zijn jullie nog eens en nog eens... Je hebt mij besodemieterd, laat Dannie je maar vermoorden.' Hij moest haar verminken, niet dood, littekens op haar gezicht, een glazen oog, een been waarmee ze voortaan kreupel liep.

'Jezus Maria... Hanna.'

Ze praat achter haar hand, zeker omdat ze zo'n spijt krijgt, dacht Hanna, nou weet ze ineens niks meer te zeggen. 'Ga m'n bed uit.' Ze stak haar hand uit, raakte Coby's kin en duwde met haar vingers de bovenlip en neus omhoog.

Coby boog haar hand opzij. 'Zo is 't niet. 't Was 'n gitarist,' zei ze en begon te huilen. Hanna drukte haar duim en middelvinger tegen haar kloppende slapen. Straks spoten er fonteintjes uit.

''t Was niet eens waar, hij schepte zo op. Hij wist werk voor me, hij kende alle nachtclubs zei hij, maar hij kende hooguit vier akkoorden.'

Opeens was het licht aan in de kamer. 'Zo kan ik niet slapen,' zei mevrouw Beijer. Ze stond als een spook op de drempel, de ene hand aan de kruk, de andere aan de lichtknop. 'Je bent bij Dannie weggelopen,' zei ze langzaam.

'Ze heeft 'n nare droom gehad,' zei Hanna. 'Jij maakt ons wakker.'

'Ik heb twee stemmen gehoord.'

'Morgen gaat ze weer naar huis.'

'Ja, morgen ga ik weer naar huis,' beaamde Coby.

'Ik geloof 't niet. Ze huilt.'

'Je hebt je bril niet op.'

'Ik heb 't gehoord, ik ben niet gek. Ik wil weten wat er aan de hand is.'

'Niet meer dan 'n meningsverschil,' zei Hanna.

'En morgen ga ik naar huis.'

'Ga nou maar naar je bed.'

'Er is helemaal niets aan de hand.'

Mevrouw Beijer keek naar haar dochters, ze hielden hun ogen dicht, dat zag ze wel. In haar keel krioelden de woorden. 'Ik weet 't wel, 't gaat slecht,' zei ze en deed het licht uit. 'Maar ik zal voor jullie bidden.'

'Niets aan de hand. Hij komt me alleen maar vermoorden,' fluisterde Coby.

'Je kan je op het plaatsje verstoppen, je kan makkelijk over de schutting.'

'Wat je net toch gezegd hebt... Je weet nooit zeker van wie je houdt, 't kan 'n leugen zijn, of je verzint 't zelf.'

'Ik hou van jou en Dannie.'

Coby tilde haar hoofd van het kussen en gaf Hanna een zoen. En gretig zoende Hanna terug, tranen sprongen in haar ogen en onafgebroken tuitten haar lippen op het gezicht van haar zuster.

'Ik geloof je wel,' zei Coby. Ze draaide haar hoofd opzij en vervolgens haar lichaam. 'Laten we alsjeblieft gaan slapen, ik zie alles draaien. Niet op m'n haar gaan liggen.'

'Zal ik je over je rug aaien?' vroeg Hanna. 'En dan jij bij mij... kunnen we niet vrijen zoals vroeger, even maar?' Ze kreeg geen antwoord.

'Coby,' zei ze iets nadrukkelijker. 'Slaap je al?' Eerst wou je geaaid en gezoend worden, dacht ze, en dan moest ik tussen je benen. Ik heb alles gedaan wat je wou en mij haalde je nog geen minuut aan of je had er genoeg van en je wou slapen. Je deed me voor wat ik met mezelf kon doen, je was trots, jij had al borsten en haar en toen ik 't zelf kreeg liet je me stikken voor je toneelmeester. 'Vanavond heb ik 'n man gezien, Coby,' zei ze. 'Hij had 'n stijve, zal ik hem voor je spelen? Ik wil lief voor je zijn, ik wil je voelen. Je doet net of je slaapt, het is niet eerlijk, mij maakte je er vroeger wakker voor. Je denkt alleen aan jezelf, je lijkt op moeder. Ik geloof,' fluisterde ze, 'ik geloof dat ik eigenlijk niet van je houd.'

Enige uren later werd er gebeld. Zes uur? Het was al licht aan het worden. Besluiteloos zat Hanna in bed en eerst toen de bel voor de tweede maal over ging, schudde ze haar zuster wakker. 'Hij staat aan de deur, Coby... Dannie.'

'Tis er?' Met kleine oogjes keek ze op en toen riep ze: 'Dannie!' en in één beweging kwam ze overeind en stapte zo onhandig uit bed dat ze viel. 'Ik kan niet meer lopen Hanna, waar moet ik naar toe?'

'Ga op het plaatsje om de hoek van Ronnies kamertje. Als ie buiten wil kijken zal ik eerst met de klink rammelen, dan kan je aan de zijkant over de schutting. Doe je jas aan.'

'Ja, m'n jas aan. Hij belt weer, als moeder nou maar niet opendoet.'

Hanna duwde de tuindeuren open. 'Schiet toch op.'

'M'n laarzen, m'n jurk...'

'Dat doe ik wel, kom nou.'

Zodra Coby buiten stond, sloot ze de deuren en trok de gordijnen dicht, beseffend dat ze dat vannacht vergeten was. Ze schopte Coby's spullen onder het bed, streek het kussen en de plaats aan de rechterkant van het bed glad, begaf zich toen met kloppend hart naar de voordeur. Ze schoof een tip van het gordijntje op, trok een verwonderd gezicht naar Dannie en deed open.

'Haal Coby, Hanna,' zei hij nors.

'Coby? Die is hier helemaal niet.'

Hij deed een stap naar binnen en tuurde de gang in. 'Je gaat zelf maar kijken als je me niet gelooft, als je maar zachtjes doet. Misschien heb je moeder al wakker gemaakt met je gebel en wat moet ik dan zeggen? Waarom sta je hier eigenlijk... Dannie, is er wat?' God, hij zag er slecht uit, de rimpels leken twee keer zo diep. Oprecht bezorgd keek ze hem aan. Hij dacht na en twijfelde, keek nog eenmaal de gang in en draaide zich om. 'Ze is weggelopen.'

'Waarom?'

'Zal zij je wel vertellen. Ik kom straks terug.'

'We gaan 'n dagje weg.'

‘Jullie?’

‘Met ’n carnavalsbus. We gaan de Sint-Jan bezichtigen en dan krijgen we ’n lunch aangeboden. En daarna worden we naar een zaal gebracht waar fanfares optreden, dat doen ze ieder jaar van het patronaat.’

Hij haalde zijn schouders op en stapte naar buiten. ‘Ze heeft wel ’n sleutel. Veel plezier in de kerk.’

‘’t Is ’n kathedraal. Volgens mij heeft ze geen sleutel. Wil je op haar wachten? Zal ik ’n kermisbed voor je maken?’ riep ze hem na.

Hij gaf geen antwoord, zijn hoofd voorovergebogen liep hij naar zijn auto.

Mopperend haalde Coby een steentje onder haar voet vandaan. Ze had wel ’n uur gestaan, zei ze, ze kon wel ’n longontsteking krijgen. ‘Zieke vrouwen slaat ie gelukkig niet.’ Ze was geheel ontnuchterd. ‘Hij gelooft nooit dat jij met dat ouwe lijk ’n dagje op stap gaat.’

‘We moeten moeder overhalen hier in bed te gaan liggen, als ie dan naar binnen kijkt…’

‘Hij gelooft niet eens iets als ’t waar is. Ik kan nog zo hard schreeuwen dat ik niet met die jongen naar bed ben geweest maar hij gelooft ’t niet.’

‘Je hebt zelf toegegeven…’

‘Jou ja, hem niet. Zolang je niet iets zeker weet, is ’t niet waar. En hij heeft geen bewijs, hij heeft ’t alleen maar van horen zeggen.’

‘Je weet dat je fout bent geweest en als Dannie achter de waarheid komt, zeg je dat ’t niet zo is.’

‘Praat niet als ’n non.’

‘Wat doe jij als je bedonderd wordt?’

‘Wanneer dat achter m’n rug gebeurt, weet ik daar niets van. In ieder geval ga ik hem niet controleren want als ie niet wil dat ik ’t weet heeft ie daar z’n redenen voor, omdat ’t niet goed voor me zou zijn bijvoorbeeld. Bovendien zal hij me dat nooit aandoen,’ zei ze minachtend. ‘Niet om die kwakkelige rug maar omdat ik z’n koningin ben. Ik.'

'Rotgriet.'

'Welja, begin jij ook nog maar eens, iedereen neemt 't voor hem op. Als ie me wil vermoorden geven ze 'm nog gelijk.' Ze likte aan haar vingers en wreef over de groene aanslag op haar voetzolen.

'Vermoorden, hè? Je had z'n gezicht eens moeten zien.'

'Van de drank.'

'Moet jij nodig zeggen, de hele kamer stinkt ernaar.'

'Beter dan die muffe lucht die hier altijd hangt. Jasses, wat heb ik 'n smerige poten gekregen van dat plaatsje.' Ze kroop ermee tussen de lakens en vroeg klappertandend of het kacheltje aan kon.

'We kunnen beter opblijven, 't is al dag.'

'Ik voel me gebroken.' Ze legde een hand over haar ogen en vroeg: 'Hoe zag ie eruit?'

'Niet of ie wou vechten.'

Coby zweeg en bleef als lam liggen toen Hanna over haar heen stapte.

Van rechts zolder was het gordijn dicht maar dat was het alle dagen behalve één vrijdag per drie weken, rechts een had de ramen open, links twee hing een blouse aan de waslijn. Hanna draaide zich om: 'Voel je je beter?'

'Fantastisch, geweldig, in de zevende hemel maar niet heus,' antwoordde Coby slaperig.

'Ik zal thee zetten.' Ze ging de keuken in en liet de deur openstaan. 'Je moet moeder wel uitleggen waarom je hier bent, anders gaat ze mij aan m'n kop zeuren. Ze heeft Dannie vast gehoord, je moet naar huis, je gaat toch?'

''t Lijkt wel of je me eruit wil zetten.'

'Helemaal niet maar ik vind... je mag hier blijven zolang als je wil. Zal ik Loesje hierheen halen?'

'Als Loeloe niet bij der pappie is, zit ze wel bij de buren. Daar maak ik me geen zorgen over.'

'Dat kan toch niet eeuwig zo blijven?'

'Pff eeuwig,' zei Coby laconiek. 'Als ie me doodslaat komt ze in een tehuis. Heel verschrikkelijk maar daar weet ik dan niets meer van. Ik heb liever koffie, Hanna.'

'Is er niet, moeder kan er niet tegen, is te duur.'

'Arm kind.' Op haar tenen liep ze naar de keuken. Ze zette een voet in de gootsteen en draaide de kraan open. Ze heeft de voeten van moeder, dacht Hanna, de tweede teen is net zo lang als de grote. Tussen het staande been en de rand van het licht- en donkerblauw gestreepte slipje bolde de blanke onderkant van haar bil als deeg. Ze wreef haar voet droog en tilde haar andere voet op. God, wat was ze lenig.

'Je moet er eens uit,' zei Coby. 'Vanavond Hanna, dan gaan we samen.' Wat was er van een belofte op die vrolijke toon ooit terechtgekomen? 'Lekker ergens eten, naar de film, of andersom en dan gaan we wat cafés langs. 'n Goeie kans dat we die vrijer van je zien, ik ben 'm 'n paar weken geleden nog tegengekomen.'

'Waar?'

'Weet ik niet meer. We komen er vanzelf wel terecht. Wat 'n gore gootsteen.'

Mevrouw Beijer zat wakker en rechtop van ongeduld in bed, ze hield haar kaken op elkaar geklemd maar hoe nijdig ze ook was, ze kon haar mond niet houden. 'Ik dacht dat m'n oudste dochter me dit,' wees ze op haar thee en beschuit, 'wel had komen brengen.'

'Ze komt zo.'

'Vraag me niet of ik goed geslapen heb want dat heb ik niet,' zei ze. 'Hoe kan ik een oog dichtdoen als ik jullie hoor praten en achter mekaar de bel gaat en jullie door het huis lopen te spoken.'

Hanna keerde haar moeders huilerige stortvloed de rug toe en vond Coby, mopperend op eenzelfde toon, over kapotte kousen en make-up die ze vergeten was. 'En jij hebt alleen vleeskleurige en maar twee paar, 'n fatsoenlijk broekje heb je niet eens.' Driftig trok ze haar laarzen aan. 'Wat 'n armoedig gezicht met die blote knieën.

Luister eens.' Ze veranderde van toon, drukte Hanna een portemonnee in de handen en vroeg een en ander voor haar mee te nemen aangezien ze toch inkopen moest doen. Filly Plum, in niet luxe-uitvoering, cake-eyeliner van hetzelfde merk, het dunste penseeltje, zwarte panty's maat L, twee paar, een voor Hanna, ze mocht ook een andere kleur nemen, en een flesje milk met lanoline. En als ze toch in de buurt was, moest ze even aanwippen bij de patisserie voor een Swiss roll. 'Marasquin,' riep ze over haar schouder.

Hanna hoorde haar vrolijk kwebbelend de voorkamer binnengaan, moeder probeerde er iets tussen te krijgen maar Coby overstemde haar. Als vanouds, dacht Hanna. Coby is sterk, Coby sust, Coby liegt, moeder gelooft. Coby hoort hier niet meer.

Rokend zat ze op het voeteneind, moeder leek gerustgesteld, bijna opgewekt.

'Wat zal ik halen?' vroeg Hanna.

'Iets lekkers, wacht,' zei Coby en telde op haar vingers af: ''n Pond kabeljauw, 'n pond tomaten, 'n krop sla, 'n pond uien, 'n kilo kriel.'

'Kan 't niet wat gewoner?' vroeg mevrouw Beijer.

'Ik betaal, moeder. Peterselie en selderie.'

'Tomaten komen pas in mei,' zei mevrouw Beijer met een bedenkelijk gezicht.

'Maar ze zijn wel te koop. O Hanna, haal ook, je moet 't maar even opschrijven, wat croissants en een pakje roomboter.'

'Toe maar,' zei mevrouw Beijer. 'We eten als de rijken. Veldmuis at ook van die dure dingen, roomboter, zalm, Ardenner ham moest ik wel eens halen, van de haas, olijven, net levertraan, in de winter wilden ze prinsessenbonen en die gingen per ons.'

'En een fles wijn, niet onder de vijf gulden.'

Hanna stopte het lijstje in haar zak en tilde de tas op.

'Heb je wel eens meegegeten bij Veldmuis?' vroeg Coby.

'Mee niet natuurlijk nee, maar 's morgens moest ik afwassen en als er dan wat in de schalen zat at ik daar wel van, van die mensen was ik niet vies.'

'Bleef er veel over?'

'Als er vlees over was nam ik 't mee naar huis in 'n zakje, dat paste keurig in m'n schort. Nee, dat hebben jullie nooit gemerkt. En Veldmuis was een keukenprinses.'

'Waren er geen rare dingen bij?'

'O ja, 't leek wel eens of ze bloemen aten, 't was vast heel bijzonder.'

Het gesprek werd nog even op deze wijze voortgezet tot Hanna binnenstormde. Ze zag lijkbleek en hijgde, de tas hing aan een hengsel in haar hand.

'Dannie staat in de straat.'

'Hij kan toch binnenkomen,' zei mevrouw Beijer.

Hanna keek van de een naar de ander, Coby zat als versteend. 'Hij heeft me gezien,' zei ze.

'Wat doen jullie vreemd, doe de deur open voor die jongen.'

'Hij komt me vermoorden,' riep Coby en ze hief haar handen en keek 'nee nee' stamelend, in het nauw gedreven rond.

'Dacht ik het niet,' begon mevrouw Beijer. 'Mij 'n beetje voor de mal houden. Nee moeder, er is niets, woordenwisseling, niemendalletje moeder, hij weet heus wel dat ik hier ben, even eruit, vakantie nodig, niks aan de hand moeder.' Tijdens haar uitval was het gebonk tegen de deur begonnen, ze had het door haar toorn niet opgemerkt. Haar dochters renden weg, ze hoorde de deur van de achterkamer, de voordeur ook, krakend, een knal, hij molde 'm.

Breed als een beer verscheen Dannie op de drempel, zei iets tegen zijn schoonmoeder over een bustochtje en rende op zijn zware voeten naar achter. Mevrouw Beijer voelde naar de rozenkrans. Wat moest ze vragen, ten gunste van wie? 'Laat alles goed gaan,' smeekte ze en toen een geschreeuw het huis vulde begon ze het ene na het andere weesgegroet te bidden, hardop en in een toenemend tempo als was het een aflaat die de straf bijtijds vermocht kwijt te schelden. Driemaal was ze de rozenkrans rondgegaan toen een zware klap klonk, gevolgd door een snerpend gegil en brekend glas.

Uit alle macht smeet Dannie het rotankrukje de kamer in. De zitting vloog eraf en brak een ruit van de tuindeuren, kledingstukken fladderden naar buiten en bij het neerkomen van het krukje sloeg de tegen de bodem aangestopte rest van het wasgoed in een hoekige prop over de rand. Met een langgerekte gil rende Coby naar de keuken. Dannie merkte het niet, hij zocht een volgend voorwerp om zijn woede op te koelen, greep de stoel, sloeg hem tegen de muur tot het onderstel afbrak en zonder op de richting te letten wierp hij de rugleuning van zich af. Hanna gaf een schreeuw van pijn. Van een afstand hoorde ze haar zusters laarzen over het zeil. Even was het stil en toen begon Coby te lachen, eerst zenuwachtig, dan in lange uithalen en ten slotte liet ze zich onder een stroom van tranen op haar knieën vallen. Het bloed was uit zijn gezicht getrokken. Hij bracht zijn hand omhoog, raakte met zijn vingers de vork die Coby in zijn nek geplant had en trok hem eruit.

Dannie liep met grote stappen. Hij klemde Coby zo hardhandig onder zijn arm dat ze zich in een onmogelijke bocht moest kronkelen om hem bij te houden. Het jurkje was daarbij opgetrokken en ontblootte haar rechterdij tot boven aan toe. Zo verlieten ze het huis.

Hanna duwde de muis van haar hand tegen het splinterig gedeelte in de deurpost. Het slot was niet stuk maar waardeloos, bij het minste geringste, een kind dat leunde, een bal die niet gestopt werd, zou de deur meegeven.

Moeder had de rozenkrans om haar hals en hield het kruisje vast. 'n Pond tomaten, 'n pond uien, het was nog maar net gezegd. De boodschappentas had ze al die tijd in haar hand gehouden tot Dannie het stuk van de stoel... ze keek naar haar been. Onder haar knie was een rode plek aan het opkomen.

'Heeft ie je geschopt?' vroeg mevrouw Beijer.

'Er is iets tegenaan gekomen,' antwoordde Hanna.

'Hij heeft wel geschopt en geslagen, ik heb 't zelf gehoord, wat 'n herrie, al die kerels zijn hetzelfde, die handen van ze zitten veel te los.

Ze slaan, ze drinken, ze doen maar, ikke ikke ikke en de rest, dat zijn de moeders en de kinderen, kan stikken. Daarom heeft God aan de vrouwen het moederschap geschonken. Dannie is precies zo. Hij heeft me niet eens goeiendag gezegd, nog mooier, hij zei dat ik met de bus mee moest. Zeker 'n nieuwe uitdrukking voor dat ik op moet krassen omdat ik niet meer meetel, bejaarden stoppen ze altijd in bussen.'

Hanna schoot in de lach en haar moeder opende grijnzend haar mond, de punt van haar tong uitstekend. Het was van korte duur, ze trok haar gezicht in de oude, grimmige plooi en bestookte haar dochter met vragen. Hanna voelde zich plotseling doodmoe. Het been deed niet langer zeer maar op haar rug en schouders drukte het zwaar, ze zweette, ze had het benauwd, ze wilde naar buiten. De frisse lucht zou alles wat er was voorgevallen, oplossen tot kleinigheden zodat ze er onverschillig de schouders voor op kon trekken.

'Geef eens antwoord,' riep mevrouw Beijer.

Haar gezicht was dichtbij, ze rook het, hoorde de snelle ademhaling, de mond smakte voor de volgende vraag. 'Hij is haar ontrouw geweest,' zei mevrouw Beijer en stak haar hand uit. Hanna voelde de koude, harde vingers op haar knie. 'De geschiedenis herhaalt zich. Je vader heeft ons vaak bedrogen. Hij was een aantrekkelijke man, het heeft hem geen geld gekost, maar veel erger, zijn ziel,' zei ze toonloos.

'Toe moeder.' Hanna tilde de hand van haar knie.

'Zwart van de zonden, door en door. Hij heeft geen vergiffenis kunnen vragen, hij...'

'Voor iemand die niet gelooft bestaat geen hemel,' zei Hanna.

'Wel de hel.'

'Ook geen hel. Zeg wat ik moet halen vandaag.'

'Ik wil erover praten.'

'Ik niet.'

'Maar ik moet, je begrijpt niet...'

'Ik begrijp 't uitstekend. Eerst uithoren, dan klagen met God op je schouder en dan weer uithoren. In jouw ogen deugt geen mens omdat je zelf niet deugt,' zei ze met stemverheffing.

Mevrouw Beijer trok de dekens hoger. Ze huiverde en een zware traan rolde over haar wang.

De stoel was niet te repareren. De poten waren geknakt, de rugleuning lag voor de commode. In de muur zat een gat. Hanna plukte aan het behang eromheen, voorzichtig, als een opgestroopt velletje bij een wond. Ze tikte het schilderij op zijn plaats. Nooit ging de Vliet over de dijk, al hing ze het doek op zijn kop. Ze legde haar vinger op het roeibootje, weg was het, nooit zonk het. De wolken dreven niet over, het bootje bleef varen, de koeien graasden dag en nacht, het riet groeide noch stierf. Hier was het daarentegen een chaos.

Ze verzamelde het verspreid liggende wasgoed, ieder stuk uitschuddend tegen eventuele glasscherven, overwoog of ze vanmiddag zou gaan wassen en zette die gedachte van zich af. Het kon uitgesteld, ze maakten niet veel vuil. Ze haalde stoffer en blik en begon de meters ver over de vloer liggende scherven op te vegen.

Bij alle ziektes en heiligen had Coby gezworen dat er niets was voorgevallen. Hij zag spoken, hij was gek, hij met zijn nachtelijke escapades, hij liet haar in de steek. Dannie wou er niet van horen, daar was hij niet voor gekomen, ze moest mee. 'Ik laat me niet opsluiten,' riep ze en ze gooide het over een andere boeg. Het mooie hoofd hooghartig schuin houdend, begon ze hem op lijzige toon uit te schelden en belachelijk te maken en zag niet dat hij steeds roder aanliep. Wat kon hij zeggen op haar bewering dat zijn rug aanstellerij was. 'Of heb je soms 'n ander?' kwam er spottend bovenop. Hoe laag zoiets te zeggen nadat ze zelf had staan liegen met een stalen gezicht. 'Slet,' sprak Hanna haar zwager na. Ik vertel 't 'm, dacht ze. Ik bel op, ik zeg alles.

Even hield ze de veger stil en toen bracht ze hem in de schaduw voor de plint. Gooide ze gisteren een bord weg, nu waren het scherven en een vork met bebloede tanden die op de bodem van de vuilnisemmer kletterden.

Om het parkje was een laag, breed muurtje, onderbroken door vier ingangen waarvan een aan de winkelstraat, tegenover de tramhalte. Vaak renden er kinderen overheen, die wedstrijd hielden in wie de meeste muurtjes liep, of een afmattende reis rond de wereld maakten. In het midden was een vijver en wanneer zich iemand aan de kant vertoonde zwommen de eenden, afwachtend of een zak brood te voorschijn kwam, alvast een stukje in de richting.

Lange tijd had Hanna op een bank gezeten en toen ze tot op het bot verkleumd was, drong ineens tot haar door dat ze naar een vrouw en een jongetje had zitten staren als waren ze niet meer dan een leeg silhouet. Het kind wierp, het handje telkenmale over zijn schouder halend om kracht te zetten, stukjes brood die in kleine boogjes aan de waterkant en op het gras vielen. De vrouw hield hem in de buurt door met een wandelstok achter zijn broekband te haken. Toen het brood op was, trok ze zijn broek en jasje netjes en wandelde statig, de stok om de andere pas neerzettend, weg. Hanna schoof de handen uit de mouwen, bekeek ze, en stak de witte top van haar wijsvinger in haar mond. En het leven terugzuigend in de vinger slenterde ze met stijve benen naar de uitgang en ging opnieuw de telefooncel binnen. De lijn was nog steeds bezet. Ze volgde de grote wijzer van de gemeenteklok en bij iedere volgende volle minuut nam ze de hoorn van de haak. De ingesprektoon hield aan. Dannie is erin gelopen, dacht ze. Coby kan verongelijkt en lief tegelijkertijd doen. En overdrijven, ze overdrijft altijd. Ze zou zeggen, en ze zou dat snikkend en zacht doen: 'Mij geloof je niet maar twee mensen die zeggen dat ze naar Den Bosch gaan terwijl ze nooit verder dan de hoek komen, wel.'

De tram was tweemaal van links en eenmaal van rechts gepasseerd toen ze opgaf. Ze was ervan overtuigd, Dannie was er ingelopen en Coby had de stekker er uitgetrokken om het hem goed te laten maken. Hij was het nu die op zijn knieën lag. Ze sloeg de beroepengids open en bestelde een glazenmaker. Voor Coby's rekening. De hele portemonnee zou ze leegmaken.

Zelfverzekerd stapte ze de parfumeriewinkel in. Verschillende kleuren lippenstift testte ze op de zijkant van haar hand, Coby's Filly Plum hield het midden tussen biet en chocola, god wat 'n vieze kleur. Ze koos het contrasterende Candlelight, bestelde een compleet setje om de ogen mee te bewerken en vroeg om een flesje parfum. De verkoopster, niet ouder dan zij maar haar gebaartjes en zinnetjes aanpassend aan het ouwelijk opgemaakte gezicht, spoot haar luchtjes in de haren en op de polsen. 'Even wachten,' zei ze en bewoog ten voorbeeld losjes haar hand. 'Het parfum moet met de geur van uw huid mengen.'

Hanna rook en hield haar rechterhand vooruit. 'Deze maar.'

Ze kreeg een monstertubetje cadeau. Bijna vijftig gulden was ze kwijt.

Ze ging binnen bij de groenteboer, de visboer, de banketbakkerij en de lingeriewinkel. De tas tegen haar buik dragend, de onderkant steunend om het gebak niet te pletten, liep ze naar huis. De scholen waren uit, wel dertig kinderen speelden op straat. Het eerste groepje keek de andere kant op, een tweede stel was geconcentreerd aan het knikkeren, een volgend stel schreeuwde door elkaar. Ze passeerde drie kinderen die tegen een muur hingen, ze zeiden en deden niets maar ze waren op de gemene leeftijd van elf, twaalf. Maandenlang was ze niet geplaagd maar daar begonnen ze; vooral dat joch met die zwarte krullen, een verwend kreng dat door zijn vader met de auto naar judoles werd gereden, wat een grote bek had die.

De deur gaf direct mee toen ze er haar voet tegen zette. Zo goed en zo kwaad mogelijk duwde ze hem binnen weer in het slot.

Ze pakte de tas uit en liet 'm naast de vuilnisemmer vallen. Weg dat vieze ding, morgen kocht ze een nieuwe. Het gebak zette ze op de keukentafel, de make-upspulletjes legde ze in de la eronder die een allegaar bevatte aan enveloppen, elastiekjes en onbestemde rommeltjes als een verlopen, halfvolle spaarkaart, vulpendop, batterij, een haaknaald en een jampotdekseltje, bedrukt met het model van een antieke wagen. Ze scheurde het papier van het pakje lingerie en neuriënd borg ze de zwarte kousen en het tweetal zwarte slipjes met rode biesjes in de commode. Toen prakkiseerde ze hoe ze de combinatie van groenten en vis moest bereiden. Het zou haar eigenlijk een zorg zijn, ze deed gewoon de hele boel bij mekaar, gaar werd het toch en als het niet te vreten viel dan nog zou ze ervan nemen zoveel ze kon.

Onder het snijden van de uien begonnen haar ogen zo overmatig te tranen dat ze het plaatsje opzocht en terwijl ze knipperend en diep ademhalend de branderigheid voelde blussen, hoorde ze een jongensstem door de gang schreeuwen: 'Wie wil er lopen met Hanna Beijer, ik voor geen stuiver al geeft ze me 'n meier.'

Op een uitgelegde krant voor mevrouw Beijers bed stonden een grote, tot aan de rand gevulde pan, een schaal sla en een mokkataart. Hanna schepte twee diepe borden vol.

'Niet zoveel,' zei mevrouw Beijer.

Zwijgend tilde Hanna het bord op het servet over haar moeders schoot.

'Dat krijg ik toch niet op.'

'Het is allemaal gratis dus zal 't je voortreffelijk smaken. Eh! Niet praten, als je nog een keer je mond opendoet zet ik de pan op je bed.'

Zelf at ze rap door, meer slikkend dan kauwend zodat ze de krieltjes af en toe door haar slokdarm voelde glijden. Ze nam een flinke portie sla en vervolgens stak ze de soeplepel voor de tweede maal in de pan met vis. Ze keek langs haar schouder en zag haar moeder bevend de eerste lepel in haar mond schuiven. 'Die dochter van je kan toch maar koken,' zei ze. 'Zal ik je wat bijscheppen?'

'Nee nee.'

'Strakjes dan, niet zo'n paniek.'

''t Is van Coby's geld.'

'Ik zei toch dat je dochter lekker koken kan. We krijgen taart toe.'

'Je moet alles terugbetalen,' zei mevrouw Beijer en toen ze Hanna's woedende blik op zich zag gericht: 'Ik bedoel dat ik 't zolang zal betalen.'

'Alles wat ze hier achtergelaten heeft? De leugens, de smoesjes, de beloftes die ze nooit nakomt, de tijdschriften van 'n jaar oud, het misbruik dat ze van me maakt want jij bent niet de enige die dat doet moeder. Er wordt niets terugbetaald. Kijk,' zei ze en knikte met een lachend gezicht naar de taart: 'Met heel mijn hart, Coby.'

'Er staat niets op,' zei mevrouw Beijer bedremmeld.

'Jawel. Ik kan 't niet zo goed zien van hier, is 't misschien: met al mijn liefde, of: voor mijn beminde moeder en zuster? Jij zit dichterbij, kijk dan.'

Het bord gleed van het bed.

'Wat doe je nou? Wilde je nog meer? Ik zal de taart eens aansnijden.'

In de winkelstraat telde ze vijf cafés waarvan twee haar nooit eerder waren opgevallen, en het centrum naderend ontdekte ze er steeds meer. De mensen in de straat zochten hun vertier in de buurtcafés en Adje en zijn zusje zouden niet naar het patronaat gaan wanneer ze daar niet in de buurt woonden, dus moest ze hier in de straten rond de kerk zoeken. Ze sloeg een zijstraat voor de kerk in, loerde een café binnen en liep naar een volgend. In de meeste zaken was door duisternis, rook en drukte weinig te zien. Hij kon achterin zitten, met zijn rug naar haar toe staan, net weg zijn of pas veel later komen, niet uitgaan op een doordeweekse dag. Waar te beginnen en te eindigen, te blijven wachten of binnen te gaan, waar in godsnaam moest ze hem zoeken? Zou ze hem wel herkennen, vroeg ze zich af. Het blonde haar en eigenaardige neusje. Maar het meeste houvast gaf zijn onafscheidelijke, leren jasje.

Ze sloeg een hoek om en stond verbijsterd stil. Links en rechts hingen de lichtreclames van horecabedrijven en drankmerken. Hier waren zaken met gesloten gordijnen en door gifkleurig neon verlichte ramen, waar achter de ingang een portier stond en waar je, voor je binnen werd gelaten, via een luikje bekeken werd. Het Molentje, De Favoriet, Sport, De Ooievaar, Babaloe...

XIII

Dat tijd geld is, ging niet op voor de glazenmaker. Hij haalde een grote zakdoek uit zijn overall en snoot, zo te horen meer uit gewoonte dan vanwege een verkoudheid, langdurig. Hij zei dat hij wat rommel zou maken en dat hij hoopte dat de juffrouw dat niet vervelend vond en begon de achtergebleven stukjes glas uit het hout te tikken.

Hanna was op bed gaan zitten en sloeg hem gade. Ze had slecht geslapen en voelde zich beroerd. Telkens als de grond onder haar voeten leek weg te zinken en ze de neiging kreeg haar hoofd op haar knieën te leggen, streek ze het haar van haar voorhoofd en haalde diep adem.

De glazenmaker rolde een sigaretje. 'Hij zit er zo in,' zei hij. Onderwijl plukte hij de buiten het vloeitje stekende shag af en stopte het terug in het pakje. 'Toch niet koud?' vroeg hij, doelend op Hanna's jas.

Ze knikte weifelend. En zo was het ook: het ene moment voelde ze zich koud als haar handen en voeten, het volgende moment werd het op haar borst en rug zo warm dat ze het benauwd kreeg.

'Vrouwen hebben het altijd eerder koud,' zei hij. Het was een lange man waar weinig vlees aan zat maar hij had een bol gezicht met ronde wangen en een klein, gekruld kinnetje. Hij verhaalde over zijn dochter, en uit de ernstige uitdrukking en de adempauzes die hij inlaste, begreep Hanna dat hij er vaak over praatte maar het nodig vond er een vertrouwelijk tintje aan te geven. Het was geen praten maar spreken wat ie deed en waar het uiteindelijk op neerkwam was niet dat zijn dochter kouwelijk was en negentien jaar maar dat ze zong. 'In het kerkkoor,' zei hij trots. 'Bach, Mozart en Händel. En door de week in de operette.'

Op Hanna's vraag of hij meer muzikale kinderen had, antwoordde hij: ''n Zoon.' Hij nam een lik stopverf op zijn mes. 'Maar die is niet muzikaal, die is epileptisch,' zei hij en begon te zingen.

Toen de ruit eindelijk op zijn plaats zat en hij uit eigen beweging de rommel had opgeruimd, dook hij weer met zijn neus in zijn zakdoek. En pas daarna noemde hij de prijs van het karwei.

Hij was niet verbaasd dat hij buiten de gulle tip ook nog eens werd uitgelaten maar zijn voorhoofd trok zich vol rimpels toen hij zich bukte naar het slot waar Hanna hem op wees. Hij floot bewonderend. 'Had u de sleutel vergeten? Ik doe 't u niet na. Daar moet 'n hele nieuwe post in.'

'Kan het niet met 'n paar spijkers?' vroeg ze. 'Voorlopig?'

'Voorlopig kan altijd alles, maar houden doet ie 't niet op 'n paar spijkertjes. Ik zal wel eens zien.' Hij zette de deur verder open en schoof er zijn gereedschapstas tegenaan.

Ze bracht hem een mokkapunt en met een tweede stukje van de taart, niet meer dan een rozetje breed, ging ze de voorkamer binnen.

Op de omslag van het laken was een langwerpige oranje vlek van vet en tomaten. Ze maakte een liftend gebaar met het gebak en langzaam kwam het oude mens overeind.

'Ik heb de hele dag nog geen honger gehad,' zei mevrouw Beijer. 'Het is net of ik niet meer hoef.'

'Je hebt gisteren ook niet gegeten,' zei Hanna en zette het schoteltje voor haar moeders handen.

Kwam het door de taart waar een bescheiden plakje van op haar schoot lag dat het haar te machtig werd? Wilde ze weten waarom een vreemde man in haar huis zong en timmerde? Of was het, en daar leek haar trillende mond wel naar, omdat ze er slecht tegen kon zich een dag lang in te houden. Vanmorgen had ze niet geroepen, noch de pantoffel op de vloer geslagen.

'Die man heeft 'n ruit ingezet en op 't ogenblik repareert ie de deur. Hij zingt omdat ie 'n dochter heeft die zingt en verder ben ik gisteravond inderdaad uit geweest en voel ik me ook niet goed.'

Ze veegde een hand over haar voorhoofd. 'Wat wou je weten?'

'Ik zou willen… ik weet niet…'

'Denk er dan nog eens goed over na,' zei Hanna. 'Ik ga 'n uurtje rusten, als je honger krijgt moet je me maar roepen en niet voor flauwekul.'

Ze gaf de glazenmaker vijf gulden. 'Voor Cor der piano,' zei hij en dankte beleefd. Twee platte, smalle latjes zaten als pleisters tegen de deurpost.

Toen ze zich omdraaide tolde de gang om het gat van de keukendeur. De vloer van haar kamer ging afwaarts. Ze verzamelde kracht om zich van haar schoenen en kleren te ontdoen. Genotzuchtig onderging ze de koude van de katoen tegen haar lichaam. De dansende vlekken verdwenen voor haar ogen en ze viel in slaap om pas laat in de avond wakker te worden.

Biddend om vergiffenis en rust, probeerde mevrouw Beijer wakker te blijven. Soms, wanneer een stukje van de hemel naderbij scheen, sloot ze tevreden de ogen. God mocht haar wakker houden en laten slapen. Maar het duurde kort en steeds vaker waren het andere geesten die haar kwamen kwellen en versuffen; tegen wie ze bidden moest. Ondanks haar zuinigheid hield ze de laatste weken het lampje aan. God kwam overal, God was alles, God was vooral het licht en het licht beschermde haar. Toch was ze bang alleen in slaap te vallen want achter gesloten ogen was het donker en diep in haar lichaam was het zwart.

Coby viel in slaap met een glimlach om de lippen en ze hield haar hand op de plaats naast zich, waar het nog warm was.

Mevrouw De Rooy lag, trouw aan de linkerzijde van het bed maar met een extra kussen, al twee uur te draaien toen ze de kraan in de keuken beneden hoorde gaan.

Hanna voelde haar maag zwellen en nog leek haar dorst niet te lessen. Ze liet het water over haar polsen stromen en keek in het spiegeltje. Haar ogen waren breed en donker omrand van de Rimmel die ze vergeten had af te wassen en haar haren waren door woelen en transpireren verward, in strengetjes plakte het tegen haar wangen en voorhoofd. Niettemin was ze aangenaam verrast door haar eigen gezicht. Geen water en geen kou in huis deed haar rillen, integendeel, ze voelde zich prettig warm en had zin te bewegen. Ze griste de zwarte panty onder het bed vandaan waar hij sinds de vorige avond als een verloren zakdoek was blijven liggen en sloeg hem draaienderwijs uit tot de teenstukken voor hingen. Ze vroeg zich niet af hoe laat het was en keek niet of bij links twee het licht nog brandde.

Terwijl ze de gang door sloop stelde ze zich voor hoe haar moeder op de rug lag, met een oneven dichtgeknoopt vest waar tussen twee knopen het kruisje van de rozenkrans stak. Haar vingers raakten de latjes op de deurpost. Komisch, dacht ze, een slot achter tralies. Diep snoof ze de frisse avondlucht. Uren, uren kon ze lopen.

De hoeken en randen van klinkers en tegels drukten door de dunne schoenzolen maar ze merkte het niet. In een roes van onbestemd plezier en een aangenaam zweverig gevoel liep ze het centrum in.

Toen ze de eerste cafés gesloten trof, bedacht ze opgewekt dat haar speurtocht op die manier vereenvoudigd werd en bij een café-biljart waar het licht nog volop brandde ging ze zonder aarzelen naar binnen.

Krukken en stoelen stonden ondersteboven op bar en tafeltjes, het biljart was afgedekt. Een vrouw haalde een lap door een teiltje sop en een lange, gebogen man liep, een bezem voor zich uit duwend, achter in de zaak. 'Gesloten,' riep hij. De vrouw keek op, ze had een klein en nors gezicht. 'Gesloten,' herhaalde ze.

'Ik zoek...' begon Hanna.

'Er komen hier geen jonge mensen,' zei ze en krachtig wrong ze de lap ten teken dat ze niets meer te zeggen had.

Nou goed, dat wist ze dan. En onvriendelijke mensen waren er overal. Kon het haar wat schelen, ze zou wel eens even onvriendelijk terugdoen. 'Dat kan ik me voorstellen,' zei ze en met het hoofd in de nek verliet ze de zaak.

Overmoedig ging ze verder. Het hek voor de kerk was dicht, het patronaatsgebouw was donker. Een vrouw in een wit bontjasje en twee mannen die haar flankeerden en aan wie ze ieder een arm had gegeven zodat het leek of ze een konijntje droegen, kwamen haar, zeilend over de stoep, tegemoet. Nu eens raakte de ene man met zijn schouder tegen een pui, dan weer was de andere genoodzaakt van de stoep te gaan. Toen Hanna aanstalten maakte over te steken, stond de vrouw stil en riep: 'Die denkt zeker dat 't zomer is.' Over haar schouder kijkend liet ze zich door de mannen meetrekken. 'En ze heeft geen tieten.'

De vrouw had gelijk, het was koud. Ze knoopte haar jas dicht.

Van het kruispunt waar ze gisteravond was afgeschrikt, klonk vrolijk tumult. Er fietste een man in de rondte, hij zat kaarsrecht en zong het Engelse volkslied. Op de bagagedrager zat een dikke, gierende vrouw. Nadat ze drie rondjes had meegedraaid, verging haar het lachen. 'Nou is 't genoeg,' riep ze. De man zong verder uit volle borst. 'Hoor 'ns, ik wil eraf. Erahaf. Ik krijg 't koud. Stoppen... stoppen.' Hij remde en draaide grijnzend zijn hoofd. Ze liet een aanstekelijk lachje horen en zei: 'Ja, 't was leuk. Je kan heel goed fietsen hoor, en nou maar lekker naar huis fietsen.' En ze tikte hem tegen de wang en liep, de armen over elkaar geslagen, van hem weg. Betekenisvol voor de mensen die haar tussen de gordijnen van een café hadden gadegeslagen, stak ze misprijzend haar tong uit om die malloot op zijn fiets.

'Mag ik wat vragen?' hoorde ze een bedeesde meisjesstem naast zich zeggen. 'Ik zoek iemand.'

Hanna zag hoe ze haar tot aan de taille taxeerde en toen, niet onvriendelijk, de ogen opsloeg.

'Zou ik even binnen mogen kijken?'

'Ja hoor, kom maar kijken,' antwoordde ze.

De gordijnen waren weer hermetisch gesloten, niets verried dat er nog getapt werd. Het café had geen naam, slechts aan de zijkant van het raam stond in kleine witte letters: G. de Vries.

'Wat 'n gek hè,' zei de vrouw tegen een paar kennissen aan de bar. 'Die had zanger moeten worden in plaats van ingenieur. Ja, hij beweert dat ie ingenieur is. Hij wou maar dat ik met 'm meeging achter op de fiets, ja ik ben daar gek. Hij woont, weet ik waar helemaal, buiten de stad. Ingenieur? Aan m'n hoela. Zielepoot. Trots dat ie was op z'n bankrekening, ach...'

'Hoeveel?' vroeg een meisje dat met haar vinger een schijfje citroen verdronk in haar glas en het dan weer naar boven liet komen.

'Wel bijna drieënhalfduizend gulden,' zei ze langzaam.

Terwijl er gelachen werd, keerde ze zich om naar Hanna. 'Hij is er zeker niet, hè? Hoe heet ie eigenlijk?'

Hanna noemde zijn naam en gaf een korte beschrijving die ze aanving door de lengte aan te geven. Toen ze bij de laatste woorden haar hand liet zakken, hief een man aan de bar zijn hand en zei: 'Hallo.'

'Zoiets zou hij ook zeggen,' zei Hanna.

'Nou hoor je dat je niet de enige grappenmaker bent. Ik ken 'm niet,' vervolgde ze, 'en als ik 'm niet ken hoef je 't aan de anderen niet te vragen. Bobbie,' riep ze naar de barkeeper. 'Geef dat meisje iets te drinken. En niet alleen 'n flesje limonade, doe er wat stevigs in.'

Alleen gelaten met haar consumptie zat Hanna aan de kant. Iedereen deed of ze er niet was. Van de vier mannen die zaten te kaarten had er zelfs niet één opgekeken toen ze binnenkwam. De vrouw die als Anneke werd aangesproken zat, met het brede achterwerk naar haar toegekeerd, aan de bar naast drie andere vrouwen. Twee van hen waren nogal onopvallend. De een droeg een broek met eenvoudige schoenen en een roze twinset, de ander had een geruite jurk aan die niets te strak zat maar misschien wat aan de korte kant was. Wanneer ze het haar van haar schouders schudde, kwamen er grote oorringen te voorschijn en veranderde ze eensklaps tot wat ze was en wat ze alle vier waren. Anneke zou zonder die diep uitgesneden jurk een trouwe verloofde lijken. Haar huid was gaaf en strak, en ze was jong, ze was niet van de fiets gestapt, ze was gesprongen. De vierde van het stel had het uiterlijk dat lelijke en ontevreden vrouwen ongelukkig maakte omdat ze in het gemis ervan de oorzaak zagen van hun tegenspoed. Ze had zo'n vieze vent gehad, zei ze. Details bespaarde ze de anderen, ze waren er ook niet nieuwsgierig naar en begrepen het best. Ze zwegen, rookten en dronken. Het mooie meisje hing haar hakken achter de spijl van de kruk en bewoog haar voeten op en neer. Ze bestelde een gin-tonic. 'Waarom doe je 'm altijd tussen je benen open, Bobbie?' vroeg ze. 'Dat vind ik lekker, meid,' zei hij. 'Als die dop eraf komt gaat er 'n schok door me heen.'

Ze liep naar een van de kaartspelers, legde een hand op zijn schouder en keek in zijn kaarten, streelde met een duim over zijn nek, maar hij reageerde niet.

Anneke veerde op. 'Daar heb je 'm weer!' riep ze.

'Mein Herz ist zerrissen, Du liebst mich nicht,' hoorden ze de ingenieur zingen, en dan was het even stil en herhaalde hij de laatste regel op smartelijke wijze.

'Geen sjoege geven, dan gaat ie vanzelf weg. De deur is toch dicht?'

Hij was niet dicht. Kauwend, een half broodje in zijn hand, kwam de ingenieur te voorschijn.

'Wat is dat nou? Je had al thuis kunnen zijn,' zei Anneke.

'Ik had honger.'

'Je hebt niet eens 'n broodje voor haar meegenomen.'

'Ze wou niet.'

'Hij heeft 't me niet eens gevraagd.'

'Ze hoeft niet, dacht ik.'

'Slecht nagedacht, eerst vragen.'

Hij zette grote ogen op en zei met kinderlijke overtuiging: 'Ik hou van dikke vrouwen.'

'Dat is 'n stuk zwaarder achterop,' zei Bobbie.

'Geeft niks. Ik wil dat ze met me meegaat.'

Hij vlijde zich tegen Anneke aan en hield het broodje voor haar mond.

'Eet jij dat broodje zelf maar op gierigaard,' zei ze.

Ongemerkt verdween het meisje met de oorringen naar buiten.

'Ik ben niet gierig. Zal ik dan 'n broodje voor je halen?'

'Iemand die in z'n eentje voor je neus gaat staan eten, is gierig. Koop jij maar 'n tweedehands autootje van je bankrekening knul, dan mag je nog eens bij me langskomen. Ik heb 'n hekel aan mensen die er trots op zijn dat ze sparen.'

Er was een tik tegen het raam.

'Ze zitten aan m'n fiets,' zei de ingenieur verbouwereerd en hij vloog naar buiten en passeerde het meisje dat met ingehouden pret haar plaats aan de bar innam.

'Ze hebben m'n band leeg laten lopen,' hoorden ze de ingenieur uitroepen.

'Heb jij dat gedaan?' vroeg Anneke. 'Ach... dat vind ik zielig. Doe de deur op slot Bobbie, straks heeft ie geen pompje.'

Ze ging voor het raam staan en opende het gordijn op een kier. 'Hij heeft er wel een, wat doet ie nou stom.' Ze tikte naar hem. 'Je moet 't wiel omhoog draaien,' riep ze. 'Wat 'n achterlijke bakkie, hij gaat op de grond zitten omdat ie er niet bij kan. Zit ie nou te huilen of te lachen?... Omhoog!' Ze maakte een draaiend gebaar. 'Hij luistert niet. Rot dan ook maar op, engerd.'

Toen ze zich had omgedraaid zag ze Hanna zitten en nadenkend liep ze op haar af. 'Ik zou maar naar huis gaan hè? Moet je ver? Nee? Zal ik vragen of die rare gast, nee, dat is flauw van me, wacht...'

'Bobbie, bel even 'n taxi,' zei ze, over de bar hangend en soepel landde ze naast de grappenmaker die de hele tijd aan zijn snorretje had zitten draaien en zei dat ie zo'n slaap had.

Even later stopte een auto en, automatisch reagerend op het geluid van een stationair draaiende dieselmotor, riep Bobbie: 'Taxi.'

Liever was Hanna niet opgestaan maar had ze een stoel onder haar lome benen geschoven en die niet moe te krijgen mensen gadegeslagen.

'Heb je geld?' riep Anneke haar na.

Ze zwaaide ijlings. Liefst had ze de armen om die hoer geslagen en de rode agaat aan het kettinkje tegen haar wang gevoeld.

De ingenieur had het beleg opgegeten en de rest van het broodje opengeklapt en tegen het raam geplakt.

In de voorkamer brandde nog licht. Moeder riep haar naam. Roep maar, dacht ze. Roep wat je wil, ja, vooral om God. Ik kom niet.

XIV

De eerste dagen slofte mevrouw Beijer tweemaal per dag door het huis om een fles water te vullen die ze dan naast Hanna's bed zette. Telkens had het kind haar ogen dicht, ze kreeg er geen woord uit. Luisterend lag ze te wachten tot Hanna naar het toilet ging, maar Hanna liep op blote voeten, deed muisstil en lag veel eerder in bed dan dat haar moeder, op het geluid van de stortbak, eruit was.

De vierde dag rook mevrouw Beijer een brandlucht. In de keuken vond ze haar dochter bezig met het opwarmen van een blik bonen en het roosteren van een boterham die ze aan een vork boven de vlam van een gaspit hield. En toen Hanna slechts ja-en-neeantwoorden gaf, staakte ze haar hulp en zorgden beiden voor zichzelf.

Een week lang bleef Hanna in bed, de laatste drie dagen uit onwil om op te staan. En toen haalde ze het bed af. Er moest gewassen worden en eten gehaald. Zout, suiker, een klontje boter en een half potje jam was alles wat er nog was. Ze nam de handdoek van het haakje en zag weer voor zich hoe Coby er haar voeten mee afdroogde. Bij het uithalen van het wasgoed kwam Dannie haar voor de geest. Ze stopte het goed met de lakens in haar kussensloop waarop zwarte en blauwe vegen zaten en voor ze haar jas dichtknoopte, haalde ze de brief uit haar zak en las de achterzijde van de enveloppe: p. tomaten, filly plum, eyeliner, 2 zw. panties, milk (m. lanol.).

Vergeten, dacht ze, evenals de wijn. Het feest was voorbij en de boodschappen en Coby, Coby ook. Ze scheurde het papier aan stukken. Moeder had, te lui om een ei te bakken, hongermaaltjes gegeten, maar ze had de taart en vis weggegooid en de pan afgewassen. En zo was het, afwassen, uitwissen, als was het een droom die je wat wijsmaakte en beter vergeten kon.

Opnieuw het oude patroon. Hier liep ze door de gang met een zak wasgoed, ongeveer een kilo te zwaar, iets wat tijdens de ochtenduren oogluikend werd toegestaan. Ze zette de zak voor haar voeten en opende de deur van de voorkamer.

'Ik ga wassen,' zei ze. 'Wat moet ik voor vanavond halen?'

Eentoniger dan voorheen verstreken de dagen. Mevrouw Beijer at zoals ze 's nachts sliep: weinig en met tegenzin, het maakte niet uit wat ze kreeg voorgeschoteld, een lepel vol en ze kon niet meer. Ze bracht het klein gesneden en geprakte voedsel met theelepeltjes naar haar mond, kauwde traag en veelvuldig, legde het echter liever terug en speelde zo een uur lang. Thee en melk hielden haar voornamelijk in leven en Hanna liet het erbij. Overdag sliep ze veel, soms aan één stuk, en regelmatig volgde Hanna haar voorbeeld en liet zich bij de kachel of aan het raam onderuitzakken. Na het eten las ze haar moeder voor uit de krant en mevrouw Beijer luisterde stil en zuchtte spijtig wanneer de krant werd toegevouwen, niet omdat ze begerig was naar meer nieuws maar omdat Hanna direct zweeg en het vertikte in de nabijheid van het bed te blijven zitten. Wanneer ze iets vroeg, kreeg ze een kort antwoord en wanneer ze een gesprek probeerde aan te knopen, reageerde Hanna nauwelijks of liep de kamer uit.

Tussen acht en negen uur wenste Hanna welterusten, niet vermoedend hoe haar plaats even later werd ingenomen. Ze ijsbeerde wat door haar kamer, keek enige tijd naar de panden aan de achterzijde, waste zich en ging naar bed. Ze wist niet beter of haar moeder bad hardop en praatte nu en dan in haar dromen. Met de dag werd het erger, soms maakte het haar wakker. Het was te zwak om de buren te wekken maar ze hoorde dat haar moeder riep alsof een dief haar nazat, maakte aanstalten toe te snellen en ging geërgerd weer liggen, de dekens over haar hoofd.

Na drie weken werd Hanna onrustig. Ze stofzuigde het hele huis, klopte dekens en matjes uit op het plaatsje, ruimde kasten op, zoog het ongedierte uit de hoeken van de keukenkastjes, reinigde met borstel en bleekwater en sopte de vloer en al het houtwerk dat ze tegenkwam.

Uitgeput trachtte ze 's avonds in slaap te vallen en dan kwam, buiten enige gedachte, het kittelende gevoel in haar buik dat haar op haar rug deed draaien. En zodra ze haar benen weer strekte, haatte ze haar zuster dieper dan ooit.

XV

Op een nacht kwelde de duivel zelf mevrouw Beijer het bed uit. Eerst zat hij heel rustig en leek op haar man maar toen kwam hij langzaam voorover en zo zag ze zijn horentjes, glimmend als teer, en zijn mond die van oor naar oor scheurde waardoor de tong naar buiten plopte als een rode gummibal.

Ze deed het grote licht aan, ging de gang in, zijn hand schoot tussen de jassen aan de kapstok uit en gillend rende ze terug en begon aan het hardboard te trekken dat tegen de schuifdeuren getimmerd was, heel secuur, door haar man, met tweehonderd spijkertjes. Ze greep de tinnen pendule en in het wilde weg sloeg ze tegen het wandje. Het glas viel uit de klok, een wijzer prikte in haar vinger. De duivel blies onder haar hemd, hij raakte haar aan, met rollende ogen draaide ze zich om, haar armen geheven. Het was haar dochter die de klok uit haar handen trok en haar ruw naar het bed duwde. Stamelend probeerde ze uitleg te geven, maar Hanna boog met een verbeten gezicht het vrouwtje op de pendule terug, en ze liet zich op haar zij vallen. Er ontstond een bloedvlek naast haar mond, groter en donkerder dan de veeg die ze met haar vinger maakte om zich aan het kussen vast te houden en er haar gehoest in te smoren. Ze zag het niet, ze schreeuwde: 'Aan... aan', toen Hanna de lichten uitdeed. Hanna deed het grote licht weer aan. Ontzet keek mevrouw Beijer naar haar hand.

'Je hebt op je tong gebeten,' zei Hanna. 'Of je hebt 'n maagzweer van al je opwinding.'

'Ze willen m'n dood,' fluisterde mevrouw Beijer en ze smeekte Hanna het licht niet meer uit te draaien.

Haar mond zakte open, een zoute drop in het witte gezicht. Hanna trok haar schouders op en sloot de deur achter zich.

Moest ze een dokter halen? Moeder wilde er niet van horen. Ach, er was niets, een man in de vijftig was een onzeker geval maar een vrouw die niets te doen had, een vrouw als moeder, had nog twintig jaar.

Een oude, foeilelijke nicht die ze sinds haar vaders begrafenis niet meer gezien had, vertelde vroeger dat ze vier huwelijksaanzoeken had gehad en de enige die het geloofde was ze zelf. En ook, dat ze eens een vlinder van haar hoofd had gejaagd en dat een beeldschone heer haar toen staande had gehouden om te zeggen dat vlinders op bloemen af kwamen.

Zich op zo'n opschepperige manier belachelijk maken zou ze nooit doen. Maar dan: liefde kwam niet aan de deur. Was er in een, twee, drie jaar wat veranderd? Ze had zelfs nog nooit, zoals meisjes op school toen al deden, een menstruatie kunnen voorwenden om van een jongen af te komen. Ze kon nog veertien wezen, o, was ze het maar. Dan ging en bleef ze werken, kreeg kennissen, zou gewoon praten met mensen en kinderen in de straat, een knipoog geven naar het meisje Haan, rustig een bal terugschoppen, zeggen tegen het zwarte knulletje: Wel naar de judo en te moe om te lopen? Hij zou haar evengoed naroepen maar hij zou ook laten zien hoe stout en sterk hij was en hoe aardig hij kon zijn. 'Ik wil met Hanna Beijer, al kost 't me tien meier' of 'helaas heeft ze 'n vrijer'. Een paar seconden lag ze wakker en dacht aan haar moeder. Toen viel ze in slaap.

De volgende avond trok ze de zwarte kousen aan en toen bij links twee het licht uitging, liep ze de oude route naar het centrum en dook, enige panden voorbij dat van G. de Vries, in een winkelnis vanwaar ze verscheidene zaken bespieden kon. Even later stopte, op nog geen twee meter van haar af, een voorbijganger. Toen hij doelbewust wat schikte aan zijn kleding, verliet ze abrupt haar schuilplaats. De man schrok zo dat hij stokstijf bleef staan, tot zijn hand onder zijn jas hem eraan herinnerde wat hij van plan was.

Ze volgde de muur van de kloostertuin. Takken van kastanjebomen piepten langs de ijzeren punten. Aan de overzijde stonden lage huisjes waarvan het merendeel het bordje ONBEWOONBAAR VER-

KLAARDE WONING droeg. Uit een schuur op een veldje vol stapels autobanden klonk het gehinnik van een paard. Morgen opnieuw, dacht ze, morgen is het vrijdag.

In een bakfiets lag een tros touw, en nog iets donkers, iets met haar. Ze zette het op een lopen, passeerde de kerk, rende nog honderd meter en liep langzaam en op adem komend, haar hand tegen haar milt gedrukt, naar huis.

Onder het lantarenlicht op de hoek van de slagerij stond haar moeder, een schim in een ongelijk hangend hemd onder een zwarte jas. Even voelde ze medelijden met het nietige figuurtje en dacht: naar haar toe lopen en een arm geven, zeggen: hier ben ik, kom maar gauw mee… Nee nee, wat denkt ze wel, ze bezit me niet. Korzelig nam ze een parallel- en een dwarsstraat. De voordeur stond op een kier. Moeder had weer een vreemde bevlieging gehad: de lichten in de voorkamer brandden en zelfs in de gang en de keuken had ze ze aangedaan.

Toen ze lag zakte haar boosheid weg in vermoeidheid. Voor haar ogen schrobden lustig een borstel en een luiwagen, kranten sprongen uit de gangkast en bonden zich vliegensvlug met touw en schaar tot rechte pakken. Leeg raakte de kast, en donker.

XVI

Naast een postwissel van het weduwenpensioen lag een brief van het patronaat. Ditmaal betrof het de uitnodiging voor een paasfeest, dat kort en sober zou worden gehouden 'om daarna gezamenlijk de Paaswake bij te wonen'. Met een onbegrijpelijke, vierregelige strofe van een priester-dichter werd het bericht afgesloten.

's Middags verzilverde Hanna de wissel en betaalde de tandartsrekening. Ze kocht een struik andijvie en een gebakken bokking. De warmte van de vis trok door het papier in haar hand. Er zit een klein, slapend hondje in, dacht ze. Het is koortsig. Het sterft. Het koelt af.

Toen Hanna 's avonds het huis verliet, stond mevrouw Beijer op en trok haar jas aan. Haar bewegingen waren traag en deden haar pijn. Vaak moest ze stilstaan en steun zoeken en na twintig meter gestrompeld te hebben, gaf ze op en ging op een vensterbank zitten. Geen spoor meer van Hanna. Ze drukte de handen tegen haar borst en leunde schuin haar hoofd tegen de sponning.

Plotseling stond er een man naast haar die verbaasd haar naam zei en vroeg of er iets was. Hij was op zijn sokken en had zijn stropdas laag op de knoop hangen.

'Ik schrik,' zei ze, 'ik heb de deur niet gehoord.'

'Kan u uw huis niet in?'

'M'n dochter heeft de sleutel, meneer. Ze komt zo.'

Hij keek naar de onderkant van haar nachthemd, de blote enkels en de pantoffels, en krabde zich in de nek. 'Wilt u niet liever binnen wachten?'

Mevrouw Beijer dacht even na en toen schudde ze haar hoofd en zei: 'Dat mag niet.'

Mag niet, dacht de man, wat is dat nu? 'Weet u 't zeker?' vroeg hij.

'Ja meneer... ik moet 't zo laten, begrijpt u?'

'Goed,' zei hij. 'Dat 't maar niet lang hoeft te duren.'

Hij ging naar binnen, hij vond het ineens een eng mens. Logisch, dacht hij bij zichzelf, dat kinderen haar een heks noemen. Voor het naar bed gaan haalde zijn vrouw even haar vingers langs de rand van het gordijn. Ze zat er nog. Een kwartier later keek hij zelf, in pyjama, en haalde opgelucht adem.

Mevrouw Beijer had angstig van nee geschud toen de oude man van de overkant haar zijn arm toestak. Hij was naar haar huis gelopen om de pin uit het raam te slaan en had gezien dat de deur openstond.

'Vooruit,' zei hij, 'je kent me toch?'

Ze wist zijn naam niet meer, ze kende hem wel, ja.

'Kom,' zei hij, schoof zijn hand onder haar arm en trok haar voorzichtig van de vensterbank.

''t Mag niet, mag niet.'

'Er mag zoveel niet maar dan moet je het nog wel doen.' Hij sloeg zijn arm om haar rug en liep stapje voor stapje. Vel over been, wat een scharminkel, hij schatte dat hij haar ondanks zijn leeftijd nog zou kunnen tillen. 'Je mag wel eens meer spek en bonen eten,' plaagde hij. 'Niet zo raar doen, vrouwtje. We zijn er bijna.'

Hij duwde de deur verder open en zette zijn voet op de drempel.

'Kom, je moet gauw naar bed,' zei hij. 'Wees toch niet zo bang, ik had nota bene je vader kunnen zijn.'

Bij deze opmerking kromp ze in elkaar. Hij was het, hij rook naar de drank, hij had zich vermomd, als ie binnen was, kwamen de horentjes uit zijn hoofd en als ze niet losliet, niet losliet, ging hij mee in bed.

'Nee,' riep ze en begon te trekken, 'je bent geen ouwe man.'

Ze was niet snik, dacht ze soms dat hij... met haar? Hij zette kracht en tilde haar bijna de gang in. Ze liet zich op de grond zakken, sloeg met haar armen en probeerde naar hem te schoppen. Haar eerst zo zwakke stemmetje begon te krijsen. Geschrokken trok hij de deur toe en in plaats van over te steken, liep hij terug de straat in. Dat mens was stapelgek. Hij snakte naar een betrouwbaar borreltje.

Half drie die nacht kwam Hanna thuis. Twee uur lang had ze in de winkelnis gestaan en mensen voorbij zien gaan, in en uit zien stappen, en flarden van ruzies en gelach gehoord. Daarna was ze richting West gegaan, door smalle straten met winkeltjes in antiek, ouderwetse kleren, bonbons, en cafeetjes zo druk en benauwd dat ze niet had durven stilstaan om naar binnen te kijken.

Durf, het ontbrak haar aan durf. Hoelang duurde het voor ze haar angst onbenullig zou vinden? De gedachte ergens binnen te lopen, tussen al die vreemde mensen, deed haar hart al sneller kloppen. Nooit, voelde ze. Maar ik moet, dacht ze. Altijd thuisblijven was erger.

Haar gedachten struikelden over elkaar. Ik leef, dacht ze, ik verneder me niet, ik mag ermee doen wat ik wil. Dromen helpt niet, het toeval telt. Mijn ogen opendoen en zien dat er iemand is, een lichaam, een man. Moeder, Coby, o ik haat, ik haat. Durf. Ik wil nog niet dood, er moet nog zoveel gebeuren. Hardop zeggen: durf, durf. Morgen opnieuw, morgen is het zaterdag.

Een paar minuten later werd ze wakker van gestommel in de keuken. Ze stond op en deed de gordijnen dicht.

Mevrouw Beijer hing de onderbroek over de punt van de schoorsteen. Ze had gewacht tot het buiten licht werd. Ze moest schone lakens en een ander nachthemd. Hanna moest opstaan en helpen, maar eerst moest het vest uit. Het bed was koud. De broek drupte.

'Ik heb 't niet gedaan,' riep ze.

'Die man van de overkant heeft 't gedaan,' zei mevrouw Beijer. 'Hij wou in m'n bed. Hij was geen ouwe man, dat had ie verzonnen.'

'Hou op met die onzin. Je hebt gewoon in bed geplast, je hebt verdomme 'n po. Gewoon is 't trouwens niet.'

'Daarom heb ik 't niet gedaan maar hij.'

Tussen duim en wijsvinger voerde Hanna de broek naar de drooglijn op het plaatsje. Daarna hielp ze haar moeder met het uittrekken van het hemd. Het leek een uur te duren, telkens liet ze haar armen zakken.

'De duivel,' zei mevrouw Beijer. 'Hij is schoenmaker geweest. Daar komt 't door. Ik moest ze bij 'm uitdoen maar toen heeft ie me geschopt, Co.'

Hanna schrok toen haar lichaam zichtbaar werd. Als twee haken hingen de benen over de rand van het bed, de knieën breder dan de dijen. Het interlock was haar aan alle kanten te ruim geworden, achter de in een wijde plooi naar voren hangende hals zag ze het borstbeen en de aanhechting van de ribben. Het kruisje van de rozenkrans hing lager. Haar borsten waren leeg.

'De dokter moet komen,' zei ze schor.

'Er mag geen man binnenkomen.'

'Dokter Blom... je eigen dokter, moeder. Moeder?'

Mevrouw Beijer stak haar vinger op en fluisterde: 'Dat is een vermomming, begrijp je.'

Haar lichaam is nog maar 'n kaarsje en ze ijlt. Het is m'n moeder, dacht Hanna en ze voelde niets dan een doffe onverschilligheid. Ze hield haar adem in en zei toen langzaam: 'Kapelaan Kok.'

'De kapelaan? Die is ook niet echt.' Er kwam kleur in het gezicht. 'De kapelaan, wat denk je wel, denk je soms dat ik doodga? Hij probeert het wel maar ik geef niet op. Er is altijd licht, God is het licht.'

'Ik dacht dat de priester zijn plaats...'

'De duivel,' onderbrak mevrouw Beijer haar, 'kruipt in de mensen. In iedere gedaante, behalve de paus.'

'Die kan ik niet voor je halen.'

'Kleed me aan, ik krijg 't koud.'

'Je moet gewassen worden. Of kan je 't zelf? Per slot van rekening heb je je eigen broek gewassen, je kan zelfs naar de hoek lopen heb ik gezien.'

Mevrouw Beijer schudde zwijgend haar hoofd.

'Dan niet,' zuchtte Hanna. 'Probeer eens rechtop te zitten.'

'Ik wil geen nachthemd,' zei ze met klem. 'Ik wil een jurk.'

XVII

Met een ernstig gezicht deed de Indische dame Coby open. Er was een bijeenkomst, zei ze. De zitkamer hoefde daarom niet gedaan. Als ze dan alleen even de afwas deed, in de slaapkamer wat stofte en opruimde, en zo vriendelijk was heel stil te zijn, en na een uurtje wegging, zou ze twee uur uitbetalen. Ze had het geld al in haar hand, stopte het Coby toe en gebaarde met een vinger tegen haar mond vooral geen geluid te maken. 'Ook niet zuigen, mevrouw.'

Coby deed de deur naar de gang dicht. Die ene ochtend per twee weken dat ze hier werkte, deed ze niet meer dan van de opvallende plaatsen wat vuil weg te nemen, gebrek aan tijd liet de rest verborgen. Het moesten de enige keren zijn dat er iets in huis gedaan werd. Wat had er bijvoorbeeld in dat pannetje gezeten? Ze schraapte er de schimmel uit en zette de deur naar de tuin open. Heerlijk zou je daar kunnen zitten als er eens flink wat werd uitgehaald, nu kon er amper een stoel staan door al die struiken, onkruid en bomen. Er zaten knoppen aan de takken. De hortensia's waren al uitgelopen. Ze waste af, het was niet veel maar wel smerig, liet het vet geworden water weglopen en drukte de rijst en groenteresten door het zeefje van de afvoer.

Op haar tenen ging ze de slaapkamer binnen. De Indische kon de sprei niet eens rechttrekken, ze was ook zo dik dat ze zich nauwelijks kon bukken. En toch snoepen, zelfs in bed kon ze het niet laten, ze had er een vaas voor naast staan waar ze de papiertjes indeed. Hij was weer bijna vol. Ze keerde hem om en ritselend vielen wikkels van hopjes, toffees en bonbons in de prullenmand. Uit de voorkamer klonk de bezwerende stem van een man. Even later begonnen ze te zingen. De Heer dit, de Heer dat, halleluja. Ze stofte en ordende wat en ten slotte veegde ze met een vochtige doek het stof van de dikke bladeren van de trots van de Indische: haar veertig jaar oude clivia.

Nog tien minuten. Ze ging zitten en wachtte. Het was haar beurt om Loesje en twee buurkindertjes op te halen. Anderhalf uur zat er tussen, wat ging ze ermee doen? Dannie had iedere ochtend een slecht humeur vanwege zijn rug. Als ie wat ophad, had ie geen pijn. Daarom begon ie 's middags al te drinken. Hij werd er zwaarder van, honderdtien woog ie nu. Hij zou nog wel in bed liggen. Ze moest eens naar moeder. Waarom liet Hanna niets meer van zich horen en had ze de portemonnee niet gebracht? Aan het geld durfde ze toch niet te komen. En wat deed het kind met die zee van tijd als ze niet eens meer wat te lezen had? Zou ze dan nu een halfuurtje langsgaan? De een met haar jas aan, de ander met haar vest in bed. Dan was haar hele dag verpest. Nee, beter was Dannie over te halen zondag te gaan. Eerste paasdag, een mooie reden. Dan konden de oude tijdschriften mee en zag Loesje weer eens oma twee.

In de voorkamer werd gestommeld en met stoelen geschoven. Ze stond op, ze ging lekker naar de stad.

Een raar geloof hielden die mensen erop na. Toen ze haar jas aantrok werd het plotseling doodstil.

XVIII

'Ik wil het ei van witte donderdag,' zei mevrouw Beijer. 'Het geneest alle ziektes. De zuster van Veldmuis had koudvuur in het been, toen heeft Veldmuis haar het ei gegeven en de volgende dag was het been dicht. En ze heeft het een meisje gebracht dat op sterven lag en zodra ze het ophad, deed ze haar ogen open en zei dat ze beter was.' Hijgend kwam ze overeind. 'Haal me het ei, Hanna. Het moet vandaag gelegd zijn, ik moet 't vandaag opdrinken, het moet rauw zijn. Hanna... asjeblieft.'

Ze ging naar buiten en liep op een stel knikkerende kinderen af.

'Wie van jullie heeft kippen?' vroeg ze.

Stomverbaasd keken ze haar aan.

'Is er iemand anders in de straat die ze houdt?'

Een van hen begon te giechelen en stak de anderen aan. Ze kreeg een kleur en liep snel verder. De kinderen schaterden en riepen haar na, een dolle middag had ze ze bezorgd, morgen wist iedereen het: Hanna Beijer die nooit wat zegt, wil kippen. Waar haal ik nou een vers ei vandaan? dacht ze. Moeder laat me een flater slaan. Ze gaat niet dood, zodra het warm wordt draait ze zelf de kachel uit. En als ze doodgaat zorgt ze er wel voor dat het maanden duurt, jaren, ze overleeft me.

Ze kocht een doosje eieren bij de melkboer. De kinderen kakelden en kraaiden toen ze voorbijkwam.

Ze klutste het ei in een kopje en met walging zag ze hoe haar moeder het gulzig naar binnen slurpte. Wat bijgeloof al niet deed.

Glimlachend reikte mevrouw Beijer het kopje aan en met een verwachtingsvolle zucht ging ze liggen. Even later begon ze te huilen en sloeg een hand voor haar mond. Struif gutste tussen haar vingers door en over haar kin.

Hanna waste haar gezicht en haalde het washandje over het haar bij haar oren en het kraagje van haar jurk. Ze was geheel van streek en toen ze niet meer kon en eindelijk ontspande, smeekte ze Hanna bijtijds de lichten aan te doen en geen minuut de kamer te verlaten.

Om zeven uur wou ze voorgelezen worden en onder het lezen viel ze in een onrustige slaap, ze draaide met haar hoofd en maakte keffende geluidjes. Na een halfuur gingen haar wenkbrauwen omhoog, ze sloeg haar ogen op, keek Hanna secondenlang aan zonder te knipperen en viel opnieuw in slaap.

Toen Hanna zaterdagochtend wakker werd, hoorde ze het piepend openschuiven van een raam. Een laken zakte voor de tuindeuren en werd opgetrokken tot het zoom tegen zoom voor het bovenlicht hing. Het was negen uur en het was stil.

Ze trok een rood geblokte blouse aan die ze verplicht, vlak voor ze van school ging, tijdens de naailessen had gemaakt. De non dacht maten te groot, nu zat ie perfect, op de coupenaden na die aan de binnenkant van haar tepels eindigden. Ze maakte een boterham en liep ermee naar de voorkamer. Moeder sliep kennelijk nog. Het brood brokkelde tussen haar vingers en rook naar karton.

'Je zou bij me blijven,' zei mevrouw Beijer zacht en verwijtend.

'Je sliep en ik was gebroken. Ik ben om twaalf uur naar bed gegaan,' zei ze. Ze keek naar de korst in haar hand en stond op om hem weg te gooien.

'Wat ga je doen?' vroeg mevrouw Beijer toen Hanna in haar jas aan het bed verscheen.

'Maandag zijn de winkels dicht.' Ze heeft de hele week niet naar haar geld gevraagd, dacht ze.

'Pasen... ach,' zei mevrouw Beijer. 'Koop 'n kaars voor het Mariabeeld en een bosje bloemen.'

'Voor het kruisbeeld bedoel je.'

'Wie de moeder eert, eert de zoon. Ze heeft veel erger geleden... Als je kind je ontnomen wordt...' Er blonk iets vochtigs in haar ogen. 'Theresia, Ronnie... en zoveel anderen, allemaal dood... en ik weet niet waar ze zijn.' Ze sloot haar ogen en vroeg om water.

Hanna ondersteunde haar tijdens het drinken en liet haar langzaam terugzakken.

'Wil je de po?' Ze kreeg geen antwoord.

De winkeliers waren goedgemutst, je kon het zien aan hun gezicht: liever een dag een goede omzet en twee dagen vrij. Bij de bakker lag de trap die naar het woonhuis voerde vol zakken brood, dozen paasbroden en paaseieren met de namen van de bestellers erop geschreven. Een meisje dat er al maanden niet meer werkte, had vandaag weer een smetteloos schort voor gebonden.

Ook hier vrolijkheid, dacht Hanna toen ze naar buiten liep. Ze zien uit naar afspraken en gezellige avondjes. Als ze thuiskomen zuchten ze moe maar blij dat het een drukke dag was en dan wassen ze hun haar en maken er model in. Die zon werkt op m'n zenuwen, hij mag voor mijn part weg, laat het maar regenen op deze wereld. Ik koop een zonnebril.

Ze ging een drogisterij binnen, zette er verschillende op en koos een grote, donkere bril. Haar mond en het puntje van haar neus leken van een ander.

Daarna liep ze het parkje in en zette het plastic tasje met boodschappen op een bank. Ze at een krentenbol en twee plakken kaas en luierend keek ze naar de eenden, de dartele honden, de mensen die ze uitlieten of alleen maar wat wandelden.

Toen ze in de gang haar jas uittrok, voelde ze de warmte van haar hals. Het was één uur. Ze duwde de deur naar de voorkamer open en zette een schoteltje druiven op het nachtkastje. Het kussen was naast het bed gevallen maar moeder sliep. Met de bril op ging ze aan het raam zitten en ze vond dat de straat er zo veel netter uitzag en de kamer heel plechtig, chic bijna.

Spelende kinderen, mensen die hun huizen in en uit gingen, mensen die elkaar op de stoep tegenkwamen, verkeer dat voorbijreed, het was altijd hetzelfde, dacht ze, en toch was er telkens iets nieuws. Dan zag ze een gezicht dat ze niet kende, een kind dat viel, een ruzie die ter plekke werd uitgevochten. Op de etage waar het verwaarloosde jongetje had gewoond, was een ouder echtpaar met twee katten getrokken die vaak tegenover elkaar voor het raam zaten. De spullen waren verhuisd door twee kerels, een moest de onbekende motorrijder zijn geweest want hij had heel voorzichtig een stapel jurken en rokken dubbelgevouwen en er een deken omgeslagen.

Om vier uur bakte ze een uitsmijter en ging ermee aan de keukentafel zitten. Leugenaar, zei ze bij zichzelf. Als ik echt aardig was zou ik nu alsnog een ei zoeken dat eergisteren gelegd was.

Het wit van het ei zag bruin, haar handen waren negerhanden. Na het eten van een bekertje yoghurt liep ze de gang in. Het was er als de nacht, het ruitje in de voordeur was een kijkdoos. Ze duwde de bril op haar voorhoofd. Moeder sliep nog steeds, heel rustig en geluidloos.

Eerst toen de lantarens een poosje brandden, hoorde ze dat er leven onder de dekens kwam. Ze deed het licht aan en vroeg: ‘Ben je eindelijk wakker?’

Met vreemde grote ogen staarde mevrouw Beijer haar aan.

‘O pardon,’ zei Hanna, zich realiserend dat ze de zonnebril nog op had. Ze nam hem af en zei: ‘Weet je wel hoe lang je geslapen hebt? Zeker tien uur. Kijk eens.’ Ze wees naar het nachtkastje. ‘Ik heb druiven voor je meegebracht. O, en ’n kaars, ik zal ’m even halen.’

Eerst raapte ze het kussen op.

‘Geen kussen…’

‘Onzin, er zit een schone sloop om. Ik begrijp niet hoe je zonder kunt.’ Ze stompte er met haar vuist in.

‘Nee, geen kussen. Hij is er ook onder gestikt. Het was per ongeluk, Co.’ Ze begon in het wilde weg te slaan. ‘Niet doen Co.’ Haar adem piepte, ze bracht een hand naar haar borst en verloor het bewustzijn.

Hanna zette de zonnebril op en liep in een keer door naar het zaaltje.

Het was minder druk dan in januari maar de muziek was hard en er werd, alhoewel er sinds half tien geen alcohol meer geschonken was, uitbundig gedanst.

Ze tikte een klein, zwartharig meisje op de schouder en vroeg: 'Is je broer er niet?'

Het meisje veegde het haar achter haar oor en schreeuwde: 'M'n watte? M'n broer?'

'Ja, Adje.'

Ze boog dubbel van plezier. 'Die slijmerd,' riep ze. Ze ging op haar tenen staan. 'Dat is 'n vreselijke vervelende gast die achter me aanloopt, die denkt dat ie me versieren kan,' zei ze. 'Ik heb helemaal geen broer,' liet ze erop volgen en toen schudde ze weer van de lach en sloeg de armen om het middel van haar vriendje.

Hanna zag de rijzige, magere gestalte van Oldenzaal door het zaaltje komen. Hij liep doelbewust en stak zijn hand naar haar op. Ze draaide zich om, rende de trap af en sprong rakelings langs een jongen die op de onderste tree zat, lurkend aan een fles jenever. 'Hé... hallo,' hoorde ze de jeugdleider boven aan de trap roepen.

Hij moest maar denken wat ie wou, hij moest maar denken.

Toen mevrouw Beijer bij bewustzijn kwam, zag ze dat het donker was. Behalve in de stoel, daar was de lichte plek van het kussen. En het ging omhoog. Aan weerszijden waren Co's handen. Hij duwde het voor zich uit naar haar toe.

'Eerst...' zei ze en voelde naar de rozenkrans.

De donzen gedaante zweefde boven haar. Zacht en licht raakte hij haar neus.

Ze kreeg het benauwd en haar vingers lieten de kralen los en trokken aan het vel in haar hals.

'Ik wil het Heilig Oliesel,' galmde ver in het duister. 'Heilig Oliesel... Hanna... Oliesel.'

XIX

'Hoe kan je zo liggen?' vroeg Hanna en liep naar de stoel waarin ze het kussen, achteruitdeinzend voor haar moeders uitval, had laten liggen.

'Het heeft 'n tekkeloor,' zei ze en trok het omhoog aan de lege punt van het sloop.

'Je krijgt zo pijn in je nek.' Ze tilde haar moeder bij de schouders en legde het kussen op zijn plaats. 'Wil je niet wat druiven, moeder? Ik zal de velletjes eraf halen.'

Toen ze met het schoteltje op bed ging zitten, zakte mevrouw Beijers hoofd opzij.

'Lust je niet?' Met haar nagels ontvelde ze een druif. 'Hier, proef eens, dan wil je vast meer. Je wordt er niet beroerd van, zieke mensen krijgen altijd druiven.' Ze draaide haar moeders gezicht naar zich toe en stopte de druif in de openhangende mond. 'Ze komen uit een klein kistje met cellofaan en blauw papier. Ik heb ze van Coby's geld gekocht, ik zal 't wel teruggeven, niet van jouw geld hoor. Ik ga in Tuschinski werken, ze vragen altijd ouvreuses. Alleen de avondvoorstellingen, zodat ik overdag vrij ben. Ik krijg m'n eigen jurk en ik hoef er alleen voor te zorgen dat ie schoon blijft. Dat lijkt wel wat hè, daar protesteer je niet tegen. Voor mijn part werk ik ook overdag en in het weekend. Kerels geven in het donker grote fooien. Wil je nog 'n druif? Even wachten maar? Ach...' Ze sprong op, snelde naar de keuken en keerde even later terug met een pak kaarsen.

'Je hebt er zelf om gevraagd.' Ze liet wat kaarsvet in de kandelaar druppelen en drukte de kaars erin. 'Het is immers Pasen. Je zou wel eens mogen biechten. We kunnen nu nog de mis in de grote kerk halen, dan nemen we 'n taxi. Maar je weet dat ik er 'n hekel aan heb. Vader had gelijk, geloof is voor de dommen en de ouwe wijven. Zo'n feest op het patronaat is ook alleen maar om je de kerk in te lokken.'

'Een brandende kaars is mooi maar niet voor dat beeld, zal ik 't omdraaien met 'r poepertje naar de vlam? Ik kan niet meer bidden, jij bent gek, jij bidt voor twee. Zullen we de kachel uitdraaien? Je zou naar buiten moeten, je hebt je jurk al aan en 'n jas hoeft niet, 't is zulk zacht weer. De zon staat tot twaalf uur bij de hoek van Ronnies kamertje. Ik ga 'n stoel voor je neerzetten.'

Ze droeg de keukenstoel naar het plaatsje en ging haar moeder halen. 'Het is groen aan 't worden,' zei ze. 'Op een balkon staan al geraniums.'

Ze sloeg het dek open en schuin op het bed zittend, tilde ze haar moeders romp op, legde de linkerarm over haar schouders en trok het lichaam verder omhoog. De druif rolde uit haar mond. Een been gleed van de matras.

'Goed zo, je voet neerzetten.'

Toen ze stond, knikten haar moeders knieën. Ze begon te lopen en sleepte het lichaam met zich mee. Het stootte tegen de sleutel van de gangkast. 'We zijn er haast,' zei ze. Het stootte tegen de deurpost van de keuken. 'Dat doet geen pijn,' zei ze. 'Nog 'n paar stapjes.'

Hijgend liet ze het op de stoel zakken, ze schoof de benen naar elkaar toe en legde de handen in de schoot. 'Ik haal het krukje,' zei ze, 'ik vind 't niet erg om in de schaduw te zitten.'

Ze zocht haar zonnebril, opende de tuindeuren, liep met het rotankrukje naar buiten en ging tegenover haar moeder zitten.

'Krijg je 't al warmer?' vroeg ze na een tijdje. Ze stak haar hand uit. 'Je haar is warm.'

Er werd gebeld.

'Wil je bezoek? Je jurk zou gestreken moeten worden, hè?'

Weer ging de bel. 'Zo wil je toch niemand ontvangen? 't Is Coby, ze roept door de brievenbus. Nu kijkt ze door het raam. Ze weet dat we thuis zijn, ze ziet de kaars branden.'

Even later klonk het openschuiven van een raam.

'Mevrouw de Rooy haalt de lakens binnen.'

'Hanna,' riep Coby van boven. 'Waarom doe je niet open?'

'Moeder heeft geen zin. Ze heeft helemaal nergens zin in. Het gaat heel goed met ons. Ze wenst je zalig Pasen.' En tegen haar moeder: 'Ze gaat niet weg. Hoor je? Ze laat Dannie de deur inslaan. Het zal dit keer nog makkelijker gaan. Ze laat ons niet eens rustig buiten zitten. Nou is ie open, ze komt de gang in.'

'Ga weg ga weg,' riep ze. Ze boog zich voorover. 'Jij zal niks zeggen en ik zal niks verraden,' fluisterde ze en zette haar moeder de zonnebril op.